SHERLOCK HOLMES

SIR ARTHUR CONAN DOYLE

UM ESTUDO EM VERMELHO

Tradução: Michele de Aguiar Vartuli

Copyright © Introdução, 2011, Steven Moffat
Copyright © 2013, Companhia Editora Nacional

Diretor Superintendente: Jorge Yunes
Diretora Editorial Adjunta: Silvia Tocci Masini
Editores: Cristiane Maruyama, Marcelo Yamashita Salles
Editora Júnior: Nilce Xavier
Preparação: Vivian Matsushita
Revisão: Dyda Bessana
Produtora Editorial: Solange Reis
Coordenação de Arte: Márcia Matos

Publicado em 2011 pela BBC Books, um selo da Ebury Publishing, empresa do grupo Random House.

Este livro foi publicado como acompanhamento da série de televisão *Sherlock*, transmitida na BBC1 em 2011.
Sherlock é uma produção da Hartswood Films para a BBC Wales, em coprodução com a MASTERPIECE.
Produtores executivos: Beryl Vertue, Mark Gatiss e Steven Moffat
Produtora executiva da BBC: Bethan Jones
Produtora executiva da MASTERPIECE: Rebecca Eaton
Produtora da série: Sue Vertue

DADOS INTERNACIONAIS DE CATALOGAÇÃO NA PUBLICAÇÃO (CIP)
(Câmara Brasileira do Livro, SP, Brasil)

Doyle, Arthur Conan, Sir, 1859-1930.
    Sherlock Holmes : um estudo em vermelho / Sir Arthur Conan Doyle; [traduzido por Michele de Aguiar Vartuli]. -- 1. ed. -- São Paulo: Companhia Editora Nacional, 2013.

    Título original: Sherlock : A study in scarlet
    ISBN 978-85-04-01851-6

    1. Ficção policial e de mistério (Literatura inglesa) 2. Holmes, Sherlock (Personagem fictício) I. Título.

13-08169   CDD-823.0872

Índices para catálogo sistemático:
1. Ficção policial e de mistério : Literatura inglesa 823.0872

1ª edição - São Paulo - 2013
Todos os direitos reservados

NACIONAL

Av. Alexandre Mackenzie, 619 – Jaguaré
São Paulo – SP – 05322-000 – Brasil – Tel.: (11) 2799-7799
www.editoranacional.com.br – editoras@editoranacional.com.br
CTP, Impressão e acabamento IBEP Gráfica

Sumário

Introdução de Steven Moffat 5

Parte Um
Uma Reimpressão das Reminiscências do Dr. John H. Watson, Ex-cirurgião do Departamento Médico do Exército

1. O Sr. Sherlock Holmes 13
2. A Ciência da Dedução 25
3. O Mistério de Lauriston Gardens 41
4. O que John Rance Tinha para Contar 57
5. Nosso Anúncio Atrai uma Visita 69
6. Tobias Gregson Mostra do que é Capaz 79
7. Luz na Escuridão 93

Parte Dois
A Terra dos Santos

8. Na Grande Planície Alcalina 109
9. A Flor de Utah 125
10. John Ferrier Fala com o Profeta 137
11. Uma Fuga pela Vida 145
12. Os Anjos Vingadores 159
13. Continuação das Reminiscências do Dr. John Watson 173
14. A Conclusão 191

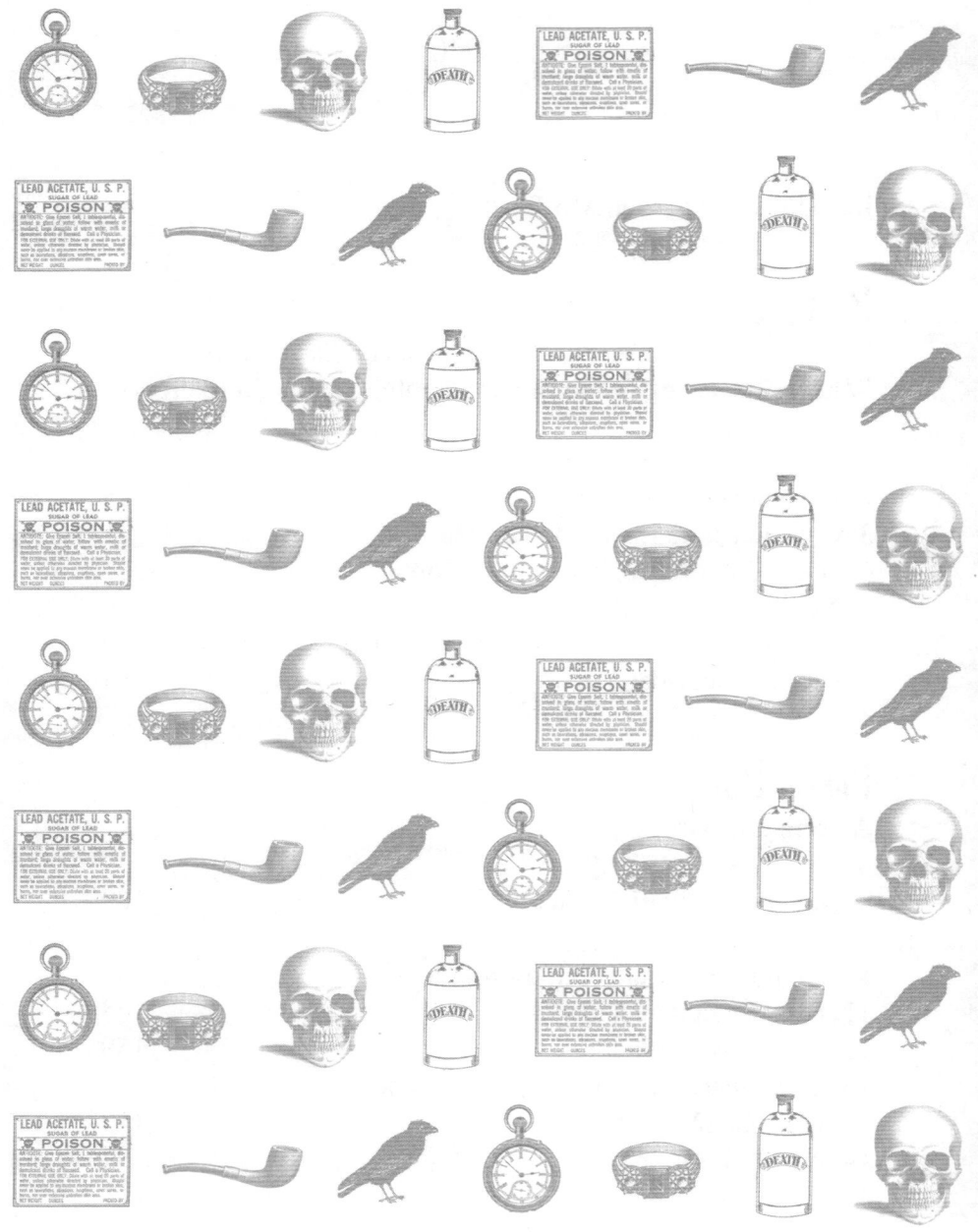

INTRODUÇÃO

Quando eu era pequeno, tinha ouvido falar de Sherlock Holmes, mas nunca havia lido nenhum dos livros, nem visto nenhum dos filmes. Vi de relance uma imagem de Holmes e Watson uma vez eu os confundi, porque Watson parecia mais velho, e presumi que ele tinha que ser o mais esperto) e logo me mandaram para o meu quarto, porque ia passar *O Cão dos Baskervilles*, que Dava Medo Demais. E, na verdade, acho que tudo começou naquela noite — tremendo na minha cama, enquanto de Dartmoor, lá na sala, chegava o uivo de um cão gigantesco!

Eu sabia que Sherlock Holmes era um detetive, e histórias de detetive eram legais (mesmo sendo sobretudo explicativas, mais ou menos como ficar assistindo a uma partida de Detetive sem poder participar), mas estava claro que essa história de Sherlock Holmes era diferente. Aí estava um detetive que enfrentava monstros...

"Quem é Sherlock Holmes?", perguntei a meu pai inúmeras vezes. Naquela época, não era tão fácil descobrir. A internet era uma biblioteca a quilômetros de casa, eu tinha que pegar dois ônibus para chegar lá (isso é o equivalente antigo de reclamar da velocidade da banda larga), e parecia nunca haver nenhum romance de Sherlock Holmes nas livrarias que eu frequentava.

Então fui passar um fim de semana na casa dos meus avós. Normalmente eu gostava disso, mas daquela vez estava azedo, porque sentiria falta dos meus amigos e dos meus pais. Depois que me deixaram lá (com certeza devo ter dito: "me desovaram"), fui para o meu quarto, emburrado — e ali, sobre a cama, estava um presente. Um pedido de desculpas, talvez, mas quem se importava? Porque era um livro, e mesmo do outro lado do quarto, vi que tipo de livro era: tinha na capa a silhueta escura de um homem com um chapéu de caçador, envolto em neblina amarela.

Neblina amarela! Já começou legal! As leis antipoluição eram louváveis, mas e a poesia daquilo? Chegando mais perto, vi que o livro era este mesmo que você está lendo agora, *Um Estudo em Vermelho*, de Sir Arthur Conan Doyle. Uma famosa aventura de Sherlock Holmes, dizia a capa. É, como se ainda restasse alguma dúvida.

E, na verdade, não era só uma famosa história de Sherlock Holmes — era a PRIMEIRA. A origem. O início. O que me tornou, eu acho, uma das poucas pessoas que leram todas

INTRODUÇÃO

as histórias de Holmes na sequência correta já na primeira vez. Quando virei a primeira página daquele primeiro livro, ela deve ter estalado e rangido como uma enorme porta — porque eu estava entrando num mundo do qual jamais sairia.

Se soubesse tudo o que me esperava, não conseguiria virar as páginas! O cão nos pântanos, a serpente na corda da sineta, o desprezível Moriarty e a linda Irene Adler, os Planos do Bruce-Partington e o cão que não fazia nada à noite. E depois, Basil Rathbone lutando contra os nazistas, a Mulher-Aranha num sonho de papelão da Londres do tempo da guerra, Jeremy Brett dinamitando nossos monótonos televisores com o maravilhoso seriado da TV Granada, e Billy Wilder voltando seu brilhantismo para a personagem favorita de sua infância e nos dando o macabro, lindo — e mesmo assim hilariante — *A Vida Íntima de Sherlock Holmes*.

Se você ainda não leu este livro, mexa-se. Detesto revelar surpresas da trama, e por mais que você ache que sabe o que está por vir, não sabe mesmo, de verdade. Portanto, leia o livro agora e me encontre no próximo parágrafo.

Olá novamente. Não falei que era surpreendente? E como é ousado, engenhoso e narrado em estilo limpo. Como é não vitoriano, como é envergonhadamente moderno. E Sherlock Holmes, então, fazendo sua primeira aparição, completamente formado e apavorante? Um dos maiores heróis de toda a ficção, e qual a primeira coisa que ouvimos a respeito do grande homem? Ele está espancando um cadáver numa sala de dissecação. Mais de cem anos depois, quando Mark Gatiss e eu fizemos nossa versão atualizada desta história, recebemos muitos elogios por nossa bravura e brio, porque apresentamos nosso novo Sherlock fazendo exatamente isso, mas, como todas as nossas melhores ideias, ela foi tirada diretamente do texto original.

E nosso herói não é exatamente, bem, heroico, certo? É frio, convencido, sem senso de humor e estranhamente obcecado pela profissão que escolheu. Há aquela terrível lista que o Dr. Watson faz de suas habilidades misteriosas, junto com as lacunas assustadoras no seu conhecimento. Tantos anos atrás, não era isso que eu esperava de um herói. Eu esperava charme, coragem, gentileza — mas, sabe de uma coisa?, continuei lendo. E o que me prendia à história eram as deduções. Ah, elas me encantavam. Quando os dois se conhecem, Sherlock sabe imediatamente que Watson voltou há pouco do Afeganistão. Mas como? Doyle fez você esperar pela explicação, não fez? E depois Sherlock visita seu primeiro local do crime, e diz a todos que o assassino tem rosto avermelhado. Lembro que fiquei embasbacado — como era possível? E como um rosto pode deixar rastros no ar? Mais uma vez, Doyle fisga o leitor, e você devora as páginas, desesperado para descobrir qual é o truque.

No fim do livro, eu não sabia ao certo se gostava de Sherlock Holmes — francamente, como gostar dele? —, mas nunca antes fiquei tão cativado e empolgado por qualquer

INTRODUÇÃO

personagem de livro. E foi porque ele não permitia que eu me acomodasse, eu nunca sabia onde ele estava. Num momento, seu brilhantismo me assombrava; no momento seguinte, sua arrogância e sua crueldade eram como um tapa na cara. E esse mestre da narrativa, Doyle, vai tornando as coisas cada vez piores e melhores. Já no livro seguinte, *O Signo dos Quatro*, Holmes usava drogas para aliviar o tédio entre casos — fiquei genuinamente chocado —, mas aí ele deduziu toda a vida de um homem a partir de um relógio de bolso, e fiquei empolgado de novo. Ao mesmo tempo, ele é mau com o Dr. Watson, diz algumas coisas imperdoáveis sobre as mulheres, e, num golpe de gênio que Doyle repetiria por toda a série, até critica francamente as próprias histórias em que aparece! Se você quiser conhecer a pior crítica que *Um Estudo em Vermelho* já recebeu, leia a continuação — Sherlock Holmes oficialmente detesta este livro como um relato do seu trabalho, e já era hora de alguma editora inovadora citar uma de suas opiniões negativas na capa. Frequentemente me perco admirando as habilidades de Doyle, mas a pura audácia dessa ideia — seu cinismo e sua autoconfiança — sempre me faz rir.

Outra história permeia essas narrativas, e ela chega de mansinho, tão lentamente que você nem se dá conta de sua presença. E como todas as coisas que acontecem aos poucos, é a mais importante. Todos esses livros brilhantes, somados, são a história de uma amizade. A melhor, mais longa e terna amizade de toda a ficção. De que esses dois homens se amam não resta a menor dúvida, mas isso nunca, jamais é dito, nunca é mencionado. Eles vivem aventuras juntos. Holmes é cruel, Watson é paciente, Holmes é brilhante, Watson é corajoso, mas os dois estão sempre juntos, sempre confiando absolutamente um no outro, e para por aí. Como na maioria das amizades masculinas, tudo é presumido e nada é dito.

Ah, exceto uma vez. Só uma vez, não houve outra. Se você pretende ler as histórias na ordem certa, como eu, vai ter que esperar muito por *Os Três Garridebs*, mas paciência, e continue lendo na ordem — você não vai conter as lágrimas quando a hora chegar.

Outro dia, Mark e eu estávamos dando uma entrevista coletiva sobre a nova temporada de *Sherlock*, e alguém, inevitavelmente, perguntou qual era o atrativo tão duradouro de Sherlock Holmes. Mark respondeu: "As deduções. E, claro, a amizade". Se as histórias de Sherlock Holmes são o maior sucesso da ficção — e é claro que são —, então, o que podemos deduzir sobre a espécie humana, a partir dos heróis que ela escolhe? Que nós amamos acima de tudo a doce razão e a boa amizade.

Acho que posso aceitar isso.

*** Steven Moffat***
Roteirista e produtor escocês, um dos criadores do seriado de TV Sherlock, *uma adaptação das histórias do detetive exibida pela BBC.*

PARTE UM

Uma reimpressão das reminiscências
do
Dr. John H. Watson,
ex-cirurgião do
Departamento Médico
do Exército.

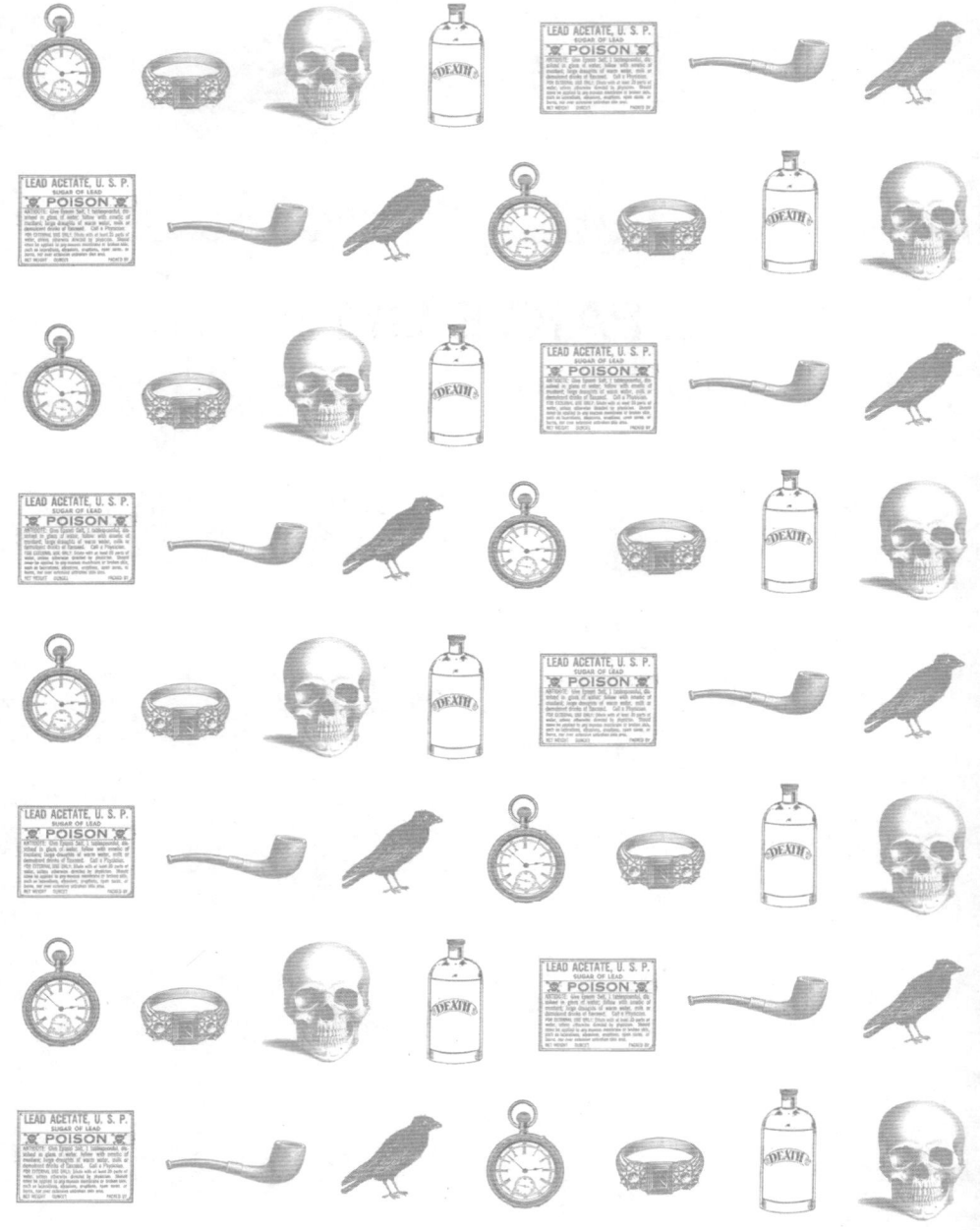

um
O SR. SHERLOCK HOLMES

No ano de 1878, me formei doutor em Medicina pela Universidade de Londres, e segui para Netley para fazer o curso prescrito para cirurgiões do exército. Após completar meus estudos ali, fui destacado para o Quinto Regimento de Fuzileiros da Nortumberlândia como cirurgião assistente. O regimento estava lotado na Índia, na época, e antes que eu pudesse me unir a ele, a Segunda Guerra Afegã começara. Ao desembarcar em Bombaim, soube que minha corporação já havia avançado pelas passagens e estava profundamente embrenhada em território inimigo. Prossegui, no entanto, com muitos outros oficiais que estavam na mesma situação, e consegui chegar a Kandahar em segurança, onde encontrei meu regimento e imediatamente assumi minhas novas funções.

A campanha trouxe honrarias e promoções para muitos,

mas para mim não significou senão infortúnio e desastre. Fui afastado da minha brigada e destacado para os Berkshires, com quem servi na fatal batalha de Maiwand. Ali, fui atingido no ombro por um projétil de mosquete *jezail*, que destroçou o osso e atingiu de raspão a artéria subclávia. Eu teria caído nas mãos dos *ghazis* assassinos, não fosse pela devoção e pela coragem demonstradas por Murray, meu ordenança, que me jogou sobre um cavalo de carga e conseguiu me levar em segurança até as linhas britânicas.

Desgastado pela dor, e enfraquecido pelas prolongadas dificuldades que enfrentara, fui removido, com um grande séquito de feridos sofredores, para o hospital de campanha em Peshawar. Lá me recuperei, e já havia melhorado a ponto de conseguir andar pelas alas, e até tomar um pouco de sol na varanda, quando fui atingido pela febre intestinal, essa praga das nossas colônias indianas. Durante meses estive à beira da morte, e quando finalmente recobrei a consciência, convalescente, estava tão fraco e emaciado que uma junta médica determinou que não passasse mais um dia antes que eu fosse enviado de volta à Inglaterra. Fui diligentemente despachado ao navio de transporte de tropas *Orontes*, e desembarcava um mês depois no cais de Portsmouth, com a saúde irrecuperavelmente arruinada, mas com a permissão de um governo paternal para passar os nove meses seguintes tentando melhorá-la.

Eu não tinha amigos ou parentes na Inglaterra, e era, portanto, livre como a brisa — ou tão livre quanto uma renda de onze xelins e seis *pence* permite que alguém seja. Em tais circunstâncias, gravitei naturalmente para Londres, essa grande pocilga para onde todos os poltrões e encostados do Império são irresistivelmente atraídos. Ali, hospedei-me por algum tempo num hotel particular na Strand, levando uma existência sem conforto nem propósito, e gastando o pouco que tinha bem mais liberalmente do que deveria. Tão alarmante se tornou o estado das minhas finanças que logo dei-me conta de que deveria trocar a metrópole por algum lugar mais rústico no interior, ou então promover uma alteração completa no meu estilo de vida. Escolhendo a segunda alternativa, comecei me convencendo a sair do hotel e me aquartelar nalgum domicílio mais modesto e menos dispendioso.

No mesmo dia em que cheguei a essa conclusão, eu estava de pé no Bar Criterion quando alguém bateu no meu ombro e, ao me virar, reconheci o jovem Stamford, que trabalhara como enfermeiro sob meu comando em Barts. A visão de um rosto amigo na grande selva urbana de Londres é algo deveras agradável para um homem solitário. Anteriormente, Stamford e eu nunca fôramos muito próximos, mas agora o cumprimentei com entusiasmo, e ele, por sua vez, pareceu encantado em me ver. Na exuberância de minha alegria, convidei-o para almoçar comigo no Holborn, e partimos juntos num *hansom*.*

---

* Carruagem leve de duas rodas com o assento do condutor atrás e por cima da cobertura, muito usada como táxi, e que leva o nome de seu criador, o engenheiro britânico Joseph Aloysius Hansom (1803-1882). (N. T.)

— O que anda fazendo, Watson? — ele perguntou com indisfarçada curiosidade, enquanto sacolejávamos pelas movimentadas ruas londrinas. — Está fino como um caniço e queimado como uma castanha.

Fiz-lhe um resumo das minhas aventuras, e mal concluíra quando chegamos ao nosso destino.

— Pobre diabo! — ele disse, comiserando-me, depois de ouvir meus infortúnios. — E o que está fazendo agora?

— Procurando um alojamento — respondi. — Tentando resolver o problema da possibilidade de arranjar aposentos confortáveis por um preço razoável.

— Que coisa estranha — comentou o meu colega —, você é o segundo, hoje, a usar essa expressão comigo.

— E quem foi o primeiro? — perguntei.

— Um sujeito que trabalha no laboratório químico do hospital. Estava se queixando esta manhã, porque não conseguia alguém que aceitasse dividir com ele uns belos aposentos que encontrou, e que são caros demais para suas possibilidades.

— Pelos céus! — exclamei. — Se esse cidadão quer realmente dividir os aposentos e as despesas, sou quem ele procura. Prefiro morar com alguém a ficar sozinho.

O jovem Stamford me olhou com uma expressão estranha por cima de sua taça de vinho.

— Você ainda não conhece Sherlock Holmes — disse —; talvez não o queira como companhia constante.

— Por quê? O que ele tem de errado?

— Oh, não falei que ele tem qualquer coisa errada. É um pouco esquisito em suas ideias; um entusiasta de alguns ramos da ciência. Até onde sei, é bom sujeito.

— Estudante de Medicina, suponho — eu disse.

— Não, não faço ideia de qual área ele pretende seguir. Acredito que entenda de anatomia, e é um químico de primeira, mas, pelo que sei, nunca frequentou sistematicamente nenhum curso de Medicina. Seus estudos são saltuários e excêntricos, mas ele acumulou muitos conhecimentos insólitos que assombrariam seus professores.

— Você nunca lhe perguntou quais são os seus interesses? — indaguei.

— Não; ele não se abre facilmente, embora saiba ser bastante comunicativo quando isso lhe convém.

— Gostaria de conhecê-lo — eu disse. — Se vou coabitar com alguém, prefiro um homem de hábitos calmos e estudiosos. Ainda não estou forte o suficiente para suportar muito barulho ou emoção. No Afeganistão, tive ambas as coisas em abundância, para me bastar pelo resto de minha existência natural. Como posso conhecer esse seu amigo?

— Ele certamente estará no laboratório — redarguiu meu colega. — Ou evita aquele lugar por semanas, ou então trabalha ali da manhã até a noite. Se você quiser, podemos ir para lá juntos depois do almoço.

— Claro — respondi, e a conversa fluiu para outros assuntos.

A caminho do hospital, depois de sairmos do Holborn,

Stamford me deu mais alguns detalhes sobre o cavalheiro que eu tencionava aceitar como colega de moradia.

— Não quero que você me culpe se não se der bem com ele — Stamford disse —; não sei sobre ele nada além do que pude aprender ao encontrá-lo ocasionalmente no laboratório. Você propôs esse arranjo, portanto, não deve me responsabilizar.

— Se não nos dermos bem, será fácil abandonar sua companhia — respondi. — Parece-me, Stamford — acrescentei, olhando intensamente para meu colega —, que você tem algum motivo para querer lavar as mãos nesse assunto. Esse camarada tem um temperamento tão formidável assim, ou o que é? Não se faça de desentendido.

— Não é fácil exprimir o inexprimível — ele respondeu rindo. — Holmes é um pouco científico demais para o meu gosto, beirando a frieza. Consigo imaginá-lo ministrando a um amigo o alcaloide vegetal mais em voga, não por maldade, entenda, mas simplesmente por seu espírito inquisitivo, para ter uma ideia precisa dos efeitos. Para fazer-lhe justiça, acredito que ele mesmo o tomaria com a mesma prontidão. Ele parece ter uma paixão pelo conhecimento definido e exato.

— O que é muito certo também.

— Sim, mas pode levar a excessos. Quando isso chega ao ponto de bater com um porrete nos cadáveres nas salas de dissecação, certamente está assumindo uma forma um tanto bizarra.

— Bater nos cadáveres!

— Sim, para verificar até que ponto hematomas podem

ser produzidos após a morte. Eu o vi ocupando-se disso com meus próprios olhos.

— E no entanto diz que ele não é estudante de Medicina?

— Não. Só os céus sabem qual é o objeto de seus estudos. Mas chegamos, e agora você deverá formar suas próprias impressões acerca dele. — Enquanto ele falava, enveredamos por uma ruazinha estreita e passamos por uma pequena porta lateral que dava para uma ala do grande hospital. Era um território familiar para mim, e não precisei de orientações quando subimos a esquálida escadaria de pedra e seguimos pelo longo corredor, com seu panorama de paredes caiadas e portas cor de argila. Perto do final, um arco baixo saía dele e levava ao laboratório químico.

Era uma câmara grandiosa, forrada e atulhada por incontáveis frascos. Mesas largas e baixas estavam espalhadas, cheias de retortas, tubos de ensaio e pequenos bicos de Bunsen, com suas bruxuleantes chamas azuladas. Havia somente um estudante na sala, curvado a uma mesa distante, absorto em seu trabalho. Ao som de nossos passos, ele olhou ao redor e saltou de pé com uma exclamação de alegria.

— Descobri! Descobri! — gritou para o meu colega, correndo em nossa direção com um tubo de ensaio na mão. — Descobri um reagente que é precipitado pela hemoglobina e por nada mais. — Tivesse ele descoberto uma mina de ouro, seu semblante não irradiaria deleite maior.

— Dr. Watson, o Sr. Sherlock Holmes — disse Stamford, nos apresentando.

— Como vai? — ele disse cordialmente, apertando minha mão com uma força que eu dificilmente lhe atribuiria. — Percebo que esteve no Afeganistão.

— Como pode saber disso? — perguntei, assombrado.

— Não importa — disse ele, rindo baixinho para si mesmo. — A questão, agora, é a hemoglobina. Decerto entende o significado desta minha descoberta?

— É interessante, quimicamente, sem dúvida — respondi —, mas para fins práticos...

— Ora, homem, é a mais prática descoberta dos últimos anos no campo da medicina legal. Não vê que ela representa um teste infalível para manchas de sangue? Venha cá, agora! — Em seu entusiasmo, ele me agarrou pela manga do casaco e me puxou para a mesa onde estava trabalhando. — Vamos coletar um pouco de sangue fresco — disse, enfiando um longo alfinete em seu dedo, e aspirando a gota de sangue resultante com uma pipeta. — Agora diluirei esta pequena quantidade de sangue num litro de água. Perceba que a mistura produzida tem a aparência de água pura. A proporção de sangue não deve ser superior a uma parte por milhão. Não me resta dúvida, porém, de que lograremos obter a reação característica. — Enquanto falava, jogou no recipiente alguns cristais brancos, e então acrescentou algumas gotas de um fluido transparente. Em instantes, o conteúdo assumia a cor opaca do mogno, e uma poeira amarronzada se precipitava no fundo do jarro de vidro.

— Ha! Ha! — ele gritou, batendo palmas, e parecendo tão encantado quanto uma criança com um brinquedo novo. — O que acha disso?

— Parece ser um teste bastante sensível — comentei.

— Lindo! Lindo! O velho teste do guaiaco era muito desajeitado e impreciso. Idem para o exame microscópico de corpúsculos sanguíneos. Este último é inútil se as manchas já têm algumas horas. Já isto parece funcionar tanto com sangue velho quanto com sangue fresco. Se este teste já tivesse sido inventado, centenas de homens que agora andam à solta teriam pagado por seus crimes há muito tempo.

— De fato! — murmurei.

— Casos criminais apoiam-se continuamente nesse ponto. Suspeita-se de alguém, meses depois, talvez, que um crime foi cometido. Sua roupa íntima ou suas vestes são examinadas, e manchas marrons são descobertas. São manchas de sangue, de barro, de ferrugem, de fruta, ou o que são? Essa é uma questão que já intrigou muitos especialistas, e por quê? Porque não existia um teste confiável. Agora temos o teste de Sherlock Holmes, e não haverá mais nenhuma dificuldade.

Seus olhos brilhavam enquanto ele falava, e ele pôs a mão no coração e se curvou, como que para uma plateia que o aplaudia em sua imaginação.

— Minhas congratulações — observei, consideravelmente surpreso por seu entusiasmo.

— Houve o caso de Von Bischoff em Frankfurt ano

passado. Certamente ele teria sido enforcado, se este teste já existisse. E houve Mason, de Bradford, e o notório Muller, e Lefevre, de Montpellier, e Samson, de Nova Orleans. Eu poderia citar dezenas de casos nos quais o teste teria sido decisivo.

— Você parece um almanaque ambulante do crime — disse Stamford, com uma risada. — Poderia publicar um jornal com essas informações. Chame-o de *Noticiário Policial do Passado*.

— E resultaria numa leitura assaz interessante — comentou Sherlock Holmes, grudando um pequeno pedaço de cera sobre a picada no dedo. — Preciso tomar cuidado — continuou, virando-se para mim com um sorriso —, já que manipulo venenos com frequência. — Ele levantou a mão ao dizer isso, e notei que estava toda remendada com pedaços semelhantes de cera, e descolorida por fortes ácidos.

— Estamos aqui a negócios — disse Stamford, sentando-se num banquinho alto de três pernas, e empurrando outro na minha direção com o pé. — Meu amigo aqui quer encontrar moradia; e como você estava reclamando de que não arranjava ninguém para dividir o aluguel, achei por bem promover o encontro dos dois.

Sherlock Holmes pareceu encantado com a ideia de compartilhar seus aposentos comigo.

— Estou de olho numa suíte na Baker Street — ele disse —, que seria perfeita para nós dois. Não se incomoda com o cheiro de tabaco forte, espero?

— Eu mesmo sempre fumo o "de marinheiro" — respondi.

— Ótimo, então. Costumo ter produtos químicos em casa, e ocasionalmente faço experimentos. Isso o aborreceria?

— De modo algum.

— Deixe-me ver... quais são meus outros defeitos. Fico deprimido às vezes, e não abro a boca por dias a fio. Não deve pensar que estou triste quando faço isso. Simplesmente me deixe em paz e logo ficarei bem. O que tem para confessar, agora? É bom que dois camaradas conheçam o pior um do outro, antes de começarem a conviver.

Ri com esse interrogatório.

— Tenho uma arma de fogo — declarei —, o barulho não me agrada, pois meus nervos estão abalados, acordo em horários inusitados e sou extremamente preguiçoso. Tenho outros vícios quando estou bem, mas estes são os principais atualmente.

— Você categorizaria o som do violino como barulho? — ele perguntou ansiosamente.

— Depende do violinista — respondi. — Um violino bem tocado agrada até aos deuses, mas quando mal tocado...

— Ah, tudo está bem, então — ele exclamou, com uma risada feliz. — Acho que podemos considerar a questão resolvida, isto é, se os aposentos forem do seu agrado.

— Quando os veremos?

— Procure-me aqui amanhã ao meio-dia, iremos juntos e acertaremos tudo — ele respondeu.

— Está bem, meio-dia em ponto — disse eu, apertando--lhe a mão.

Nós o deixamos trabalhando com seus produtos químicos e andamos juntos até o meu hotel.

— A propósito — perguntei de repente, parando e me virando para Stamford —, como diabos ele sabia que eu vim do Afeganistão?

Meu colega abriu um sorriso enigmático.

— Essa é uma pequena peculiaridade dele — respondeu. — Muita gente já quis saber como ele descobre as coisas.

— Oh! É um mistério, então? — exclamei, esfregando as mãos. — Isso é assaz instigante. Fico muito agradecido a você por nos ter apresentado. "A melhor maneira de estudar a humanidade é estudando o homem", sabe.

— Então deve estudá-lo — Stamford disse ao se despedir. — Mas verá que é um problema complexo. Aposto que ele descobrirá mais a seu respeito do que você a respeito dele. Adeus.

— Adeus — respondi, e entrei no meu hotel, consideravelmente interessado no meu novo conhecido.

dois
A CIÊNCIA DA DEDUÇÃO

Nós nos encontramos no dia seguinte, conforme ele combinara, e inspecionamos a suíte no número 221B da Baker Street, da qual ele falara em nosso encontro. Ela consistia em um par de dormitórios confortáveis e uma grande e arejada sala de estar, alegremente decorada e iluminada por duas janelas largas. Tão desejáveis em todos os sentidos eram os aposentos, e tão moderado parecia o aluguel quando dividido entre nós, que o negócio foi fechado no ato, e imediatamente tomamos posse deles. Naquela mesma noite peguei minhas coisas no hotel, e na manhã seguinte Sherlock Holmes fez o mesmo, trazendo várias caixas e baús. Por um dia ou dois, ficamos ocupados desembalando a mudança e organizando nossos pertences da melhor forma possível. Feito isso, começamos gradualmente a nos ajustar e a nos acomodar em nossa nova morada.

Holmes certamente não era um homem de convivência difícil. Tinha modos silenciosos e hábitos regulares. Raramente ficava acordado depois das 22h, e invariavelmente já fizera seu desjejum e saíra antes que eu me levantasse pela manhã. Às vezes passava o dia no laboratório químico, às vezes nas salas de dissecação, e ocasionalmente em longas caminhadas, que pareciam levá-lo para as regiões inferiores da cidade. Nada superava sua energia quando tomado de um acesso de laboriosidade; mas, de vez em quando, uma reação o acometia, e por dias a fio ele ficava deitado no sofá da sala, mal pronunciando uma palavra ou movendo um músculo, da manhã até a noite. Nessas ocasiões, notei uma expressão tão sonhadora e ausente em seus olhos que eu teria suspeitado que ele fosse viciado no uso de algum narcótico, se a temperança e a higiene de toda a sua vida não proibissem tal noção.

À medida que as semanas passavam, meu interesse por ele e minha curiosidade pelos seus objetivos na vida foram se aprofundando e aumentando. Toda a sua pessoa e sua aparência eram tais que chamariam a atenção do observador mais distraído. Sua estatura excedia um metro e oitenta e cinco centímetros, e ele era tão excessivamente magro que parecia consideravelmente mais alto. Seus olhos eram agudos e penetrantes, exceto durante aqueles intervalos de torpor que mencionei; e o nariz fino e aduncho dava à sua expressão um ar de alerta e decisão. Seu queixo, também, tinha a proeminência e a angulosidade que marcam um homem determinado. Suas mãos estavam invariavelmente manchadas de nanquim e marcadas por produtos químicos, no entanto ele tinha uma extraordinária delicadeza no toque, como tive frequente ocasião de observar, ao vê-lo manipulando seus frágeis instrumentos filosofais.

O leitor pode me julgar um enxerido incorrigível quando confesso quanto esse homem estimulava minha curiosidade, e com que frequência me dispus a romper a reticência que demonstrava em tudo que se referia a ele próprio. Antes que a sentença seja proferida, no entanto, vale lembrar quão inconsequente era a minha vida e quão pouco havia para atrair minha atenção. Minha saúde me proibia de sair, a não ser quando o tempo estava excepcionalmente condizente, e eu não tinha amigos que me visitassem e interrompessem a monotonia do meu dia a dia. Nessas circunstâncias, aceitei de bom grado o pequeno mistério que cercava o meu colega, e passava a maior parte do meu tempo tentando desvendá-lo.

Ele não estudava Medicina. Ele mesmo, respondendo a uma pergunta, confirmara a opinião de Stamford sobre isso. Tampouco parecia ter seguido qualquer curso regular que lhe conferisse algum grau científico, ou outro portal reconhecido que lhe desse acesso ao mundo acadêmico. No entanto, seu zelo em certos estudos era notável, e dentro de limites excêntricos, seu conhecimento era tão extraordinariamente amplo e minucioso que suas observações me assombravam completamente. Decerto nenhum homem trabalharia tanto ou obteria informações tão precisas, a não ser que tivesse algum fim definido em vista. Leitores ocasionais poucas vezes chamam a atenção pela exatidão de seu conhecimento. Nenhum homem ocupa a mente com questões triviais, a não ser que tenha algum excelente motivo para agir assim.

Sua ignorância era tão notável quanto seu conhecimento. De literatura contemporânea, filosofia e política, parecia saber quase nada. Quando mencionei Thomas Carlyle,* ele inquiriu da forma mais ingênua quem seria e o que fizera. Minha surpresa atingiu o ápice, todavia, quando descobri por acidente que ele ignorava a teoria de Copérnico e a composição do Sistema Solar. Que qualquer ser humano civilizado, neste século XIX, não tivesse consciência de que a Terra gira ao redor do Sol, me parecia um fato tão extraordinário que eu mal conseguia acreditar.

— Você parece assombrado — ele disse, sorrindo ante minha expressão surpresa. — Agora que sei disso, farei o melhor que posso para esquecer.

— Para esquecer!

— Veja bem — ele explicou —, considero que o cérebro humano, originalmente, é como um pequeno sótão vazio, e você deve preenchê-lo com a mobília de sua escolha. Um tolo leva para lá todo tipo de travanca que encontra, de modo que o conhecimento que poderia ser-lhe útil é expulso ou, na melhor das hipóteses, amontoado com uma porção de outras coisas, tornando difícil seu acesso a ele. Já o trabalhador habilidoso toma muito cuidado com o que leva para seu cérebro-sótão.

---

* Historiador e ensaísta inglês (1795-1881). (N. T.)

A CIÊNCIA DA DEDUÇÃO

Ele terá tão somente as ferramentas que possam ajudá-lo em seu trabalho, mas, destas, ele tem uma grande variedade, e todas na mais perfeita ordem. É um engano pensar que esse quartinho tenha paredes elásticas e possa se estender infinitamente. Pode acreditar, chega um momento em que, para cada adição de conhecimento, você esquece alguma coisa que sabia. É da maior importância, portanto, não ter fatos inúteis se acotovelando e expulsando os úteis.

— Mas o Sistema Solar! — protestei.

— Que diabos ele é, para mim? — Holmes interrompeu, impaciente. — Você diz que giramos ao redor do Sol. Se girássemos ao redor da Lua, não faria meia pataca de diferença para mim ou para o meu trabalho.

Eu estava a ponto de lhe perguntar que trabalho seria esse, mas algo em sua atitude me mostrou que a pergunta não seria bem-vinda. Ponderei sobre nossa curta conversa, porém, e procurei tirar minhas conclusões dela. Ele dissera que se recusava a adquirir conhecimentos que não tivessem importância para o seu objeto de estudo. Dessa forma, todo o conhecimento que ele possuía era do tipo que lhe pudesse ser útil. Enumerei mentalmente todos os tópicos sobre os quais ele me demonstrara ser excepcionalmente bem informado. Até peguei um lápis e os anotei. Não conseguia deixar de sorrir para o documento, ao completá-lo. Ele dizia o seguinte:

Sherlock Holmes — *suas limitações*

1. Conhecimento de literatura — nulo
2. Conhecimento de filosofia — nulo
3. Conhecimento de astronomia — nulo
4. Conhecimento de política — fraco
5. Conhecimento de botânica — variável. Bom para beladona, ópio e venenos em geral. Nada sabe de jardinagem prática.
6. Conhecimento de geologia — prático, mas limitado. Sabe diferenciar com um olhar vários tipos de solo. Após caminhadas, já me mostrou manchas em suas calças e me disse, a partir da cor e da consistência, em que partes de Londres as recebeu.
7. Conhecimento de química — profundo
8. Conhecimento de anatomia — preciso, mas não sistemático
9. Conhecimento de literatura sensacionalista — imenso. Parece saber cada detalhe de cada horror perpetrado neste século
10. Toca bem violino
11. É exímio esgrimista, boxeador e espadachim
12. Tem bom conhecimento prático das leis britânicas

A CIÊNCIA DA DEDUÇÃO

Ao chegar a esse ponto da minha lista, joguei-a no fogo, em desespero.

— Se eu ao menos conseguisse descobrir o que o camarada pretende, reconciliando todas essas realizações e descobrindo uma vocação que precise de todas elas — eu disse a mim mesmo —, mas acho que tanto vale desistir desde já da empreitada.

Vejo que mencionei acima suas habilidades ao violino. Elas eram bastante notáveis, mas tão excêntricas quanto todas as suas outras realizações. Que ele fosse capaz de tocar peças, e peças difíceis, eu sabia bem, já que a meu pedido tocara um pouco do *Lieder* de Mendelssohn e outros favoritos. Quando ele estava sozinho, porém, raramente produzia qualquer música ou tentava executar alguma ária reconhecível. Recostado em sua poltrona, à tarde, fechava os olhos e arranhava descuidadamente a rabeca apoiada no joelho. Às vezes, os acordes eram sonoros e melancólicos. Ocasionalmente, eram fantásticos e alegres. Estava claro que eles refletiam os pensamentos que o ocupavam, mas se a música ajudava esses pensamentos, ou se o ato de tocar era simplesmente o resultado de um capricho ou desejo, era algo que eu não conseguia determinar. Eu poderia ter-me rebelado contra esses solos exasperantes, se não fosse pelo fato de que Holmes costumava concluí-los tocando em rápida sucessão uma série inteira de minhas árias favoritas, como pequena compensação pelo abuso da minha paciência.

Durante a primeira semana ou pouco mais, não tivemos

visitas, e eu já começava a achar que meu colega era um homem tão desprovido de amigos quanto eu. Por fim, no entanto, descobri que ele tinha muitos conhecidos, das mais diferentes classes sociais. Havia um sujeito de pele amarelada, cara de rato e olhos escuros, que me foi apresentado como Sr. Lestrade, e que vinha três ou quatro vezes na mesma semana. Uma manhã, uma jovem apareceu, elegante, e ficou por meia hora ou mais. Na tarde do mesmo dia, foi a vez de um visitante grisalho e desenxabido, parecendo um mascate judeu, que a meu ver estava muito exaltado, e era seguido de perto por uma senhora mal-ajambrada. Noutra ocasião, um velho cavalheiro de cabelos brancos reuniu-se com meu colega; e ainda em outra, foi um carregador ferroviário, com seu uniforme aveludado. Quando qualquer um desses indivíduos nada notáveis aparecia, Sherlock Holmes costumava implorar para usar a sala de estar, e eu me retirava para o meu dormitório. Ele sempre pedia desculpas por me submeter a essa inconveniência. "Preciso usar esta sala como meu local de trabalho", dizia, "e essas pessoas são meus clientes." — Mais uma vez, tive a oportunidade de fazer-lhe uma pergunta à queima-roupa, e mais uma vez minha delicadeza me impediu de forçá-lo a se abrir comigo. Imaginei, naquele momento, que ele tivesse algum forte motivo para evitar o assunto, mas Holmes logo afastou essa ideia, abordando a questão por iniciativa própria.

Foi no dia 4 de março, como tenho bons motivos para

A CIÊNCIA DA DEDUÇÃO

lembrar, que me levantei um pouco mais cedo do que de costume, e descobri que Sherlock Holmes ainda não havia terminado seu desjejum. A senhoria estava tão acostumada com meus horários tardios que meu lugar à mesa não estava posto, nem meu café preparado. Com a petulância pouco razoável da espécie humana, toquei a sineta e a informei de que estava pronto, com uma intimação seca. Em seguida, peguei uma revista da mesa e tentei passar o tempo com ela, enquanto meu colega mastigava silenciosamente sua torrada. Um dos artigos tinha uma marca a lápis no título, e naturalmente comecei a correr os olhos sobre ele.

Seu título algo ambicioso era "O Livro da Vida", e ele tentava demonstrar quanta coisa um homem observador podia descobrir, com um exame preciso e sistemático de tudo que lhe cruzasse o caminho. A mim, aquilo parecia um misto notável de sagacidade e absurdos. O raciocínio era acessível e intenso, mas as deduções me pareciam audaciosas e exageradas. O autor alegava poder sondar, a partir de uma expressão momentânea, do tremor de um músculo ou do movimento de um olho, os pensamentos mais profundos de um homem. A fraude, de acordo com ele, era ineficaz sobre alguém treinado na observação e na análise. Suas conclusões seriam tão infalíveis quanto os postulados de Euclides. Tão estarrecedores pareceriam tais conclusões para os não iniciados, que até que estes fossem informados dos processos usados para chegar a elas, poderiam até considerá-lo um necromante.

De um pingo d'água [dizia o autor], um adepto da lógica poderia inferir a possibilidade de um Atlântico ou um Niágara, sem ter visto nem ouvido um ou o outro. Assim, toda a vida é uma grande cadeia, cuja natureza se faz patente sempre que somos apresentados a um só de seus elos. Como todas as outras artes, a Ciência da Dedução e Análise só pode ser dominada mediante um estudo longo e paciente, e a vida não dura o suficiente para permitir que qualquer mortal atinja a maior perfeição possível na referida ciência. Antes de se voltar para os aspectos morais e mentais da questão que apresenta as maiores dificuldades, o investigador deve começar resolvendo problemas mais elementares. Que ele, ao encontrar outro mortal, aprenda a discernir num olhar a história do homem e a arte ou o ofício a que este se dedica. Por mais pueril que tal exercício possa parecer, ele aguça as faculdades da observação, e nos ensina onde procurar e o que procurar. As unhas de um homem, as mangas do seu casaco, suas botas, os joelhos de sua calça, os calos do indicador e do polegar, sua expressão, os punhos de sua camisa — cada uma dessas coisas revela claramente a sua vocação. Que todas essas coisas, reunidas, não possam em qualquer caso esclarecer o investigador competente, é quase inconcebível.

A CIÊNCIA DA DEDUÇÃO

— Que inefável tolice! — exclamei, jogando a revista sobre a mesa. — Nunca em minha vida li tamanha patacoada.

— O quê? — perguntou Sherlock Holmes.

— Ora, este artigo — eu disse, apontando-o com minha colher, preparando-me para o desjejum. — Vejo que você o leu, porque o marcou. Não nego que seja engenhosamente escrito. Porém me irrita. Trata-se evidentemente da teoria de algum poltrão que tece todos esses elegantes paradoxos na clausura de seu estúdio. Não é prática. Gostaria de levá-lo a um vagão de terceira classe do metrô e pedir-lhe que adivinhasse a profissão dos passageiros. Apostaria contra ele a mil por um.

— Você perderia seu dinheiro — Sherlock Holmes comentou calmamente. — Quanto ao artigo, eu mesmo o escrevi.

— Você!

— Sim, tenho um pendor tanto para a observação quanto para a dedução. As teorias que manifestei aqui, e que você julga tão quiméricas, são na verdade extremamente práticas, tão práticas que dependo delas para o meu ganha-pão.

— E como? — perguntei involuntariamente.

— Bem, tenho meu próprio ofício. Suponho que eu seja o único no mundo. Sou um detetive consultor, se você pode entender do que se trata. Aqui em Londres, temos muitos detetives do governo e muitos particulares. Quando esses camaradas se veem perdidos, vêm até mim, e eu consigo colocá-los na pista certa. Apresentam-me todas as evidências, e em geral sou capaz, com a ajuda de meus conhecimentos da história do crime, de orientá-los. Existe uma forte familiaridade entre delitos, e quando você tem os detalhes de mil deles ao alcance das mãos, seria estranho não conseguir desvendar o milésimo primeiro. Lestrade é um detetive bastante conhecido. Ele ficou confuso, recentemente, com um caso de falsificação, e foi isso que o trouxe aqui.

— E as outras pessoas?

— A maioria é enviada por agências particulares de investigação. São todas pessoas que têm algum problema e precisam de um esclarecimento. Ouço suas histórias, elas ouvem meus comentários, e em seguida embolso meu pagamento.

— Mas está me dizendo — perguntei —, que sem sequer sair da sua sala, você é capaz de destrinchar algum emaranhado que outros homens não conseguem entender, embora tenham visto pessoalmente todos os seus detalhes?

— Exato. Tenho uma espécie de intuição para isso. De vez em quando, surge um caso um pouco mais complexo. Então preciso me mexer e ver as coisas com meus próprios olhos. Veja bem, tenho muitos conhecimentos especializados que aplico ao problema, e que facilitam maravilhosamente as coisas. Essas regras da dedução, explicadas no artigo que suscitou seu desdém, são valiosíssimas para mim no trabalho prático. A observação é minha segunda natureza. Você pareceu surpreso quando eu disse, em nosso primeiro encontro, que chegou do Afeganistão.

— Alguém lhe contou, sem dúvida.

A CIÊNCIA DA DEDUÇÃO

— Nada disso. Eu *sabia* que você havia chegado do Afeganistão. Pela força do hábito, a sequência de pensamentos passou tão rápida pela minha mente que cheguei à conclusão sem ter consciência das etapas intermediárias. Essas etapas existiram, porém. A sequência do raciocínio foi a seguinte: "Aqui está um cavalheiro que parece ser médico, mas tem o ar de um militar. Claramente um médico do exército, portanto. Ele acaba de chegar dos trópicos, já que seu rosto está escuro, e essa não é a cor natural de sua pele, já que seus pulsos são claros. Ele sofreu dificuldades e doenças, como seu rosto abatido revela claramente. Seu braço esquerdo foi ferido. Ele o mantém numa posição rígida e pouco natural. Em que lugar dos trópicos um médico militar inglês poderia ter enfrentado tantas dificuldades e se ferido no braço? Claramente, no Afeganistão". Toda essa cadeia de pensamentos levou menos de um segundo. Comentei, então, que você veio do Afeganistão, e isso causou seu assombro.

— É bastante simples quando você explica — eu disse sorrindo. — Você me lembra o detetive Dupin, de Edgar Allan Poe.* Eu não fazia ideia de que existissem indivíduos assim fora da ficção.

Sherlock Holmes se levantou e acendeu seu cachimbo.

— Sem dúvida você imagina que está me elogiando, ao me comparar com Dupin — observou. — Na minha opinião, Dupin era bem inferior. Aquele truque de se meter nos pensamentos dos seus amigos com um comentário oportuno

---

* No original, Edgar Allen Poe. (N. T.)

depois de um quarto de hora de silêncio é, na verdade, muito espalhafatoso e superficial. Ele tinha algum gênio analítico, sem dúvida; mas de modo algum era o fenômeno que Poe parecia imaginar que fosse.

— Já leu as obras de Gaboriau? — perguntei. — Lecoq se aproxima da sua ideia de um detetive?

Sherlock Holmes fungou, sardônico.

— Lecoq era um trapalhão miserável — disse, com voz irritada —; só tinha uma característica em seu favor: sua energia. Aquele livro positivamente me deu náuseas. A questão era como identificar um prisioneiro desconhecido. Eu teria feito isso em 24 horas. Lecoq levou uns seis meses. Poderíamos usá-lo como livro-texto para ensinar aos detetives o que deve ser evitado.

Senti-me um tanto indignado por ouvir duas personagens que eu admirava serem tratadas de maneira tão arrogante. Andei até a janela e fiquei olhando para a rua movimentada. "Esse sujeito pode ser bastante esperto", eu disse a mim mesmo, "mas certamente é muito convencido."

— Não existem mais crimes nem criminosos hoje em dia — ele disse lamuriosamente. — De que adianta ter miolos, na nossa profissão? Sei bem que eu poderia tornar meu nome famoso. Nenhum homem que vive ou que já viveu trouxe tanto estudo e talento natural para a investigação do crime quanto eu. E quais os resultados? Não há nenhum crime a ser investigado, ou no máximo alguma vilania atrapalhada, com um motivo tão transparente que até um oficial da Scotland Yard conseguiria enxergá-lo.

Eu ainda estava irritado com seu jeito petulante de falar. Achei melhor mudar de assunto.

— O que será que aquele camarada procura? — perguntei, apontando para um indivíduo robusto, de roupas comuns, que caminhava devagar do outro lado da rua, olhando ansiosamente os números das casas. Ele trazia um grande envelope azul nas mãos, e era, evidentemente, o portador de uma mensagem.

— Está falando do sargento reformado da Fuzilaria Naval? — Sherlock Holmes perguntou.

"Exibicionista barato!", pensei comigo mesmo. "Ele sabe que não tenho como comprovar sua adivinhação."

Eu mal acabara de pensar nisso quando o homem que estávamos observando viu o número na nossa porta e atravessou rapidamente a rua. Ouvimos batidas altas, uma voz grave lá embaixo e passos pesados subindo a escada.

— Para o Sr. Sherlock Holmes — ele disse, entrando na sala e entregando a carta ao meu amigo.

Aí estava a oportunidade de acabar com sua empáfia. Ele não previa isso quando disparou aquele comentário a esmo.

— Posso perguntar, meu rapaz — eu disse com voz branda —, qual a sua profissão?

— Militar reformado em comissão, senhor — ele disse bruscamente. — Meu uniforme está no conserto.

— E qual era a sua patente? — perguntei, olhando maliciosamente de soslaio para o meu colega.

— Sargento, senhor, da Infantaria Leve da Fuzilaria Naval Real, senhor. Não vai mandar resposta? Perfeito, senhor.

Ele bateu os calcanhares, levou a mão à testa, prestando continência, e se foi.

três
O MISTÉRIO DE LAURISTON GARDENS

Confesso que fiquei consideravelmente estarrecido com essa prova renovada da natureza prática das teorias do meu colega. Meu respeito por seu poder de análise aumentou imensamente. A vaga suspeita ainda me assolava, no entanto, de que todo aquele episódio tivesse sido premeditado para me assombrar, embora o objetivo concreto que ele pudesse ter em me iludir assim estivesse além da minha compreensão. Quando olhei para Holmes, ele havia terminado de ler o bilhete, e seu olhar assumira a expressão vazia e sem brilho que demonstrava abstração mental.

— Como raios deduziu isso? — perguntei.

— Deduzi o quê? — ele disse com petulância.

— Ora, que ele era um sargento reformado da Fuzilaria Naval.

— Não tenho tempo para irrelevâncias — Holmes respondeu bruscamente; então, com um sorriso, acrescentou: — Perdoe minha rudeza. Você interrompeu minha linha de raciocínio; mas talvez seja melhor assim. Então não conseguiu ver que aquele homem era um sargento da Fuzilaria Naval?

— Não mesmo.

— É mais fácil saber isso do que explicar por que sei. Se alguém lhe pedisse para provar que dois e dois são quatro, você poderia encontrar certa dificuldade, e no entanto tem certeza desse fato. Mesmo do outro lado da rua, pude ver uma grande âncora azul tatuada nas costas da mão do sujeito. Isso remetia ao mar. Ele tinha porte militar, porém, e os longos bigodes quase obrigatórios. Típicos de um fuzileiro naval. Era um homem com algum amor-próprio e certo ar de autoridade. Você deve ter observado o modo como ele mantinha a cabeça erguida e girava sua bengala. Um homem firme, respeitável, de meia-idade também, pelas aparências; todos esses fatos me levaram a crer que ele havia sido um sargento.

— Maravilhoso! — exclamei.

— Corriqueiro — disse Holmes, embora eu achasse, por sua expressão, que lhe agradou minha evidente surpresa e admiração. — Acabei de dizer que não existem mais criminosos. Parece que me enganei, veja isto! — Ele me jogou o bilhete que o ex-sargento trouxera.

— Ora — gritei, assim que pus os olhos no papel —, mas isso é terrível!

— Parece mesmo ser um pouco fora do comum — ele comentou calmamente. — Importa-se de ler em voz alta?

Esta é a carta que li para ele:

Meu caro Sr. Sherlock Holmes — Houve um mau evento durante a noite, no número 3 da Lauriston Gardens, perto da Brixton Road. Nosso agente de ronda viu uma luz ali por volta das duas da manhã, e como a casa estava desocupada, suspeitou que algo estivesse errado. Ele encontrou a porta aberta, e na sala de estar, que não tem mobília, descobriu o corpo de um cavalheiro bem-vestido, com cartões no bolso em nome de Enoch J. Drebber, Cleveland, Ohio, EUA. Nada foi roubado, nem há qualquer evidência de como o homem foi morto. Há manchas de sangue no recinto, mas nenhum ferimento no cadáver. Não sabemos como ele entrou na casa vazia; de fato, todo o caso é intrigante. Se o senhor puder aparecer na casa a qualquer hora antes do meio-dia, vai me encontrar lá. Deixei tudo *in statu quo** até ter notícias suas. Se o senhor não puder vir, darei mais detalhes, e consideraria uma grande gentileza se pudesse me favorecer com sua opinião.

Seu criado,
Tobias Gregson

---

* "No estado em que foi encontrado." Em latim no original. (N. T.)

— Gregson é o mais inteligente dos homens da Scotland Yard — meu amigo comentou —; ele e Lestrade são os melhores entre os piores. Ambos são rápidos, têm energia, mas são convencionais, de tal forma que chega a chocar. E se odeiam mutuamente também. Têm tanta inveja um do outro quanto um par de beldades profissionais. Este caso vai ser divertido, se os dois forem destacados para ele.

Fiquei intrigado com a calma de suas considerações.

— Certamente não há um momento a perder — exclamei —; devo providenciar um táxi?

— Não sei se devo ir. Sou o preguiçoso mais incurável que já viveu; isto é, quando a lassidão me acomete, porque posso ser bastante ativo, às vezes.

— Ora, mas essa é a chance que você procurava.

— Caro amigo, o que me importa? Supondo que eu resolva todo o caso, pode ter certeza de que Gregson, Lestrade e companhia embolsarão todo o crédito. É nisso que dá ser uma figura extraoficial.

— Mas ele está implorando por sua ajuda.

— Sim. Sabe que sou melhor que ele, e admite isso para mim, mas cortaria a língua fora antes de assumir o fato para qualquer outra pessoa. Todavia, tanto vale ir até lá e dar uma olhada. Investigarei pessoalmente. Se eu não ganhar mais nada, ao menos poderei rir deles. Vamos!

Ele enfiou seu sobretudo e se movimentou de uma maneira que demonstrava um surto energético prevalecendo sobre sua apatia.

— Pegue seu chapéu — ele disse.

— Quer que eu vá também?

— Sim, se não tiver nada melhor para fazer.

Um minuto depois, estávamos num *hansom*, sacolejando furiosamente rumo à Brixton Road. Era uma manhã enevoada e nublada, e um véu de cor pálida recobria os telhados, parecendo o reflexo das ruas barrentas abaixo. Meu colega estava no melhor dos humores e tagarelava sobre as rabecas feitas em Cremona e a diferença entre um Stradivarius e um Amati. Quanto a mim, estava em silêncio, já que o tempo encoberto e o assunto melancólico no qual nos envolvêramos me deprimiam.

— Você não parece estar pensando muito no caso em questão — eu disse finalmente, interrompendo a diatribe musical de Holmes.

— Ainda não tenho dados — ele respondeu. — É um erro capital tecer teorias antes de ter todas as evidências à mão. Isso influencia nosso julgamento.

— Logo terá seus dados — comentei, apontando com o dedo —; aqui é a Brixton Road, e aquela é a casa, se não estou muito enganado.

— É mesmo. Pare, cocheiro, pare! — Ainda faltavam uns cem metros, mas ele insistiu para que descêssemos, e terminamos o trajeto a pé.

O número 3 da Lauriston Gardens tinha um ar agourento e ameaçador. Era uma de quatro casas um pouco recuadas com relação à rua, duas ocupadas e duas vazias. Essas últimas apresentavam três fileiras de janelas despidas e melancólicas, neutras e medonhas, exceto por cartazes de ALUGA-SE que brotavam aqui e ali das vidraças embaçadas, como cataratas sobre uma córnea. Um pequeno jardim tomado por uma erupção esparsa de plantas doentias separava cada uma dessas casas da rua, e era atravessado por um caminho estreito, amarelado, que consistia aparentemente numa mistura de argila e brita. Todo o lugar estava encharcado pela chuva que caíra durante a noite. O jardim era cercado por um muro de tijolos de aproximadamente um metro de altura, com vigas de madeira no alto, e apoiado a esse muro estava um corpulento policial, rodeado por um pequeno grupo de desocupados que esticavam o pescoço e aguçavam os olhos na vã esperança de vislumbrar o que se passava lá dentro.

Eu imaginava que Sherlock Holmes fosse entrar rapidamente na casa e mergulhar no estudo do mistério. Nada parecia mais distante de suas intenções. Com um ar de desinteresse que, dadas as circunstâncias, me parecia beirar a afetação, ele andou para lá e para cá pelo caminho, e olhou com ar ausente para o chão, o céu, as casas do outro lado da rua e as vigas de madeira. Após terminar esse exame, ele percorreu vagarosamente o caminho, ou melhor, andou pela grama que o ladeava, mantendo os olhos pregados no chão. Por duas vezes parou, e uma vez o vi sorrir e o ouvi soltar uma exclamação satisfeita. Havia muitas pegadas no chão úmido e argiloso, mas, como a polícia as pisara e repisara, eu não conseguia entender como meu colega esperava descobrir qualquer coisa a partir delas. No entanto, depois de ter provas tão extraordinárias da velocidade de suas faculdades perceptivas, não me restava dúvida de que ele conseguiria ver muitas coisas que estavam escondidas de mim.

Na entrada da casa, fomos recebidos por um homem alto, de semblante pálido e cabeleira clara, com um caderno na mão, que se adiantou e apertou a mão do meu colega efusivamente.

— Muita gentileza sua vir — ele disse —, mandei que não tocassem em nada.

— A não ser aquilo! — meu amigo exclamou, apontando para o caminho. — Se uma manada de búfalos tivesse passado por ali, o estrago não seria maior. Sem dúvida, no entanto, você tirou suas próprias conclusões, Gregson, antes de permitir isso.

— Estive tão ocupado dentro da casa — o detetive disse evasivamente. — Meu colega, o Sr. Lestrade, está aqui. Deixei essa parte aos cuidados dele.

Holmes me olhou de relance e ergueu as sobrancelhas com ar sardônico.

— Com dois homens como você e Lestrade no local, não haverá muito que um terceiro possa descobrir — ele disse.

Gregson esfregou as mãos de maneira satisfeita.

— Acho que fizemos tudo que era possível fazer — respondeu —; mas é um caso estranho, e sei do seu gosto por essas coisas.

— Você não chegou aqui num táxi? — perguntou Sherlock Holmes.

— Não, senhor.

— Nem Lestrade?

— Não, senhor.

— Então vamos ver essa sala. — Com essa observação inconsequente, ele entrou na casa, seguido por Gregson, cujo semblante manifestava seu assombro.

Uma passagem curta, de assoalho gasto e empoeirado, levava à cozinha e aos escritórios. Duas portas se abriam nela, à esquerda e à direita. Uma delas parecia obviamente fechada havia muitas semanas. A outra dava para a sala de jantar, o aposento no qual o misterioso evento havia acontecido. Holmes entrou e eu o segui, com aquela sensação opressiva no coração que a presença da morte inspira.

Era uma grande sala quadrada, que parecia ainda maior pela completa ausência de mobília. Um papel de parede vulgar e berrante adornava as paredes, mas estava manchado em alguns lugares pelo bolor, e aqui e ali grandes tiras se destacaram e ficaram penduradas, expondo o estuque amarelo por baixo. Em frente à porta ficava uma lareira espalhafatosa, com uma moldura de falso mármore branco. Num canto dela estava grudado um toco de vela de cera vermelha. A única janela estava tão suja que a luz era fraca e incerta, dando um tom baço e cinzento a tudo, que era intensificado pela grossa camada de pó que revestia todo o aposento.

Todos esses detalhes eu observei depois. No momento, minha atenção estava centralizada na figura solitária, macabra, imóvel que jazia deitada sobre as tábuas do assoalho, com olhos vazios e sem vida fitando o forro desbotado. Era o cadáver de um homem de uns 43 ou 44 anos de idade, de porte médio, ombros largos, cabelo preto encarapinhado e barba incipiente. Usava um casaco de lã pesada e colete com calça de cor clara e colarinho e punhos imaculados. Ao seu lado, no chão, havia uma cartola bem cuidada. Suas mãos estavam crispadas e os braços, abertos, enquanto os membros inferiores estavam cruzados, como se sua luta com a morte tivesse sido dolorosa. Seu rosto rígido conservava uma expressão de horror, e, pareceu-me, de um ódio tal como jamais vi num semblante humano. Essa distorção maligna e terrível, combinada com a testa baixa, o nariz achatado e a mandíbula proeminente, dava ao morto a aparência simiesca de um macaco, que era acentuada por sua postura contorcida e antinatural. Já vi a morte em muitas formas, mas ela nunca me apareceu num aspecto mais temível do que naquele aposento escuro e imundo, cuja janela dava para uma das principais artérias da Londres suburbana.

Lestrade, magro e com sua eterna aparência de furão, estava de pé perto da porta, e cumprimentou meu colega e eu.

— Esse caso vai dar o que falar, senhor — ele comentou. — Supera tudo o que já vi, e não sou nenhum fracote.

— Não há pistas — disse Gregson.

— Nenhuma mesmo — corroborou Lestrade.

Sherlock Holmes se aproximou do corpo e, ajoelhando-se, o examinou atentamente. — Têm certeza de que não há nenhum ferimento? — ele perguntou, apontando para vários respingos de sangue ao redor.

— Absoluta! — exclamaram os dois detetives.

— Então, naturalmente, esse sangue pertence a um segundo indivíduo — presumivelmente o assassino, se é que foi assassinato. Isso me lembra as circunstâncias da morte de Van Jansen, em Utrecht, em 34. Lembra-se desse caso, Gregson?

— Não, senhor.

— Estude-o; seria muito recomendável. Não existe nada de novo sob o sol. Tudo já foi feito. — Enquanto ele falava, seus dedos ágeis voavam aqui, acolá e em toda parte, apalpando, pressionando, desabotoando, examinando, enquanto seus olhos assumiam a mesma expressão distante que já comentei. Tão rápido foi o exame que era difícil perceber a minuciosidade com que foi conduzido. Finalmente, ele cheirou os lábios do morto, e em seguida olhou de relance para as solas de suas botas de verniz.

— Ninguém mexeu nele mesmo? — Holmes perguntou.

— Não mais do que o necessário para os fins do nosso exame.

— Podem levá-lo para o necrotério agora — ele disse. — Não há nada mais a ser descoberto.

Gregson tinha uma maca e quatro homens à mão. Ao seu chamado, eles entraram no recinto, e o desconhecido foi erguido e levado para fora. Quando o levantaram, um anel tilintou e rolou pelo chão. Lestrade o pegou e o olhou com ar de assombro.

— Uma mulher esteve aqui — ele exclamou. — É uma aliança de mulher.

Enquanto falava, ele o mostrava na palma de sua mão. Todos nos aproximamos e olhamos para o anel. Não restava dúvida de que o aro de ouro liso já adornara o dedo de uma esposa.

— Isso complica as coisas — disse Gregson. — E o céu é testemunha de que elas já estavam bastante complicadas.

— Tem certeza de que não as simplifica? — Holmes observou. — Não descobriremos nada olhando para esse anel. O que encontraram nos bolsos da vítima?

— Está tudo aqui — disse Gregson, apontando para alguns objetos amontoados num dos primeiros degraus da escada. — Um relógio de ouro, nº 97163, da Barraud de Londres. Com corrente de ouro bem pesada e maciça. Um anel de ouro com emblema maçônico. Um broche de ouro; uma cabeça de buldogue com rubis nos olhos. Um porta-cartões de couro russo, com cartões em nome de Enoch J. Drebber, de Cleveland, correspondendo às iniciais E. J. D. nas roupas de baixo. Nenhuma bolsa, mas trocados num total de sete libras e treze xelins. Uma edição de bolso do *Decamerão*, de Boccaccio, com o nome de Joseph Stangerson na folha de rosto. Duas cartas; uma endereçada a E. J. Drebber e outra a Joseph Stangerson.

— Em que endereço?

— Agência Americana de Câmbio, na Strand; deixadas como posta-restante. Ambas são da Companhia de Vapores Guion, e se referem à partida de suas embarcações de Liverpool. Está claro que o infeliz estava prestes a voltar para Nova York.

— Vocês investigaram esse tal de Stangerson?

— Fiz isso imediatamente, senhor — disse Gregson. — Mandei publicar anúncios em todos os jornais, e um de meus homens foi até a Agência Americana de Câmbio, mas ainda não voltou.

— Comunicaram-se com Cleveland?

— Telegrafamos esta manhã.

— Como formulou suas indagações?

— Apenas detalhamos as circunstâncias e dissemos que agradeceríamos por qualquer informação que pudesse ajudar.

— Não pediu particulares sobre algum aspecto que julgasse crucial?

— Perguntei sobre Stangerson.

— Mais nada? Não há nenhuma circunstância que pareça central para este caso? Não vai telegrafar de novo?

— Eu disse tudo o que tinha para dizer — respondeu Gregson, com tom ofendido.

Sherlock Holmes riu baixinho, e parecia prestes a fazer algum comentário quando Lestrade, que estava na sala enquanto tivemos essa conversa no corredor, reapareceu no local, esfregando as mãos de maneira pomposa e satisfeita.

— Sr. Gregson — ele disse —, acabo de fazer uma descoberta da maior importância, que teria sido negligenciada se eu não tivesse examinado cuidadosamente as paredes.

Os olhos do homenzinho cintilavam enquanto ele falava, e seu estado de exultação contida por ter marcado um ponto contra o colega era evidente.

— Venham — ele disse, voltando para a sala, cuja

atmosfera parecia mais limpa depois da remoção de seu macabro ocupante. — Agora, fiquem aqui!

Ele riscou um fósforo na sola da bota e o encostou na parede.

— Vejam isto! — disse, triunfante.

Como já mencionei, o papel de parede caíra em alguns lugares. Naquele canto em especial, um grande pedaço se soltara, expondo um quadrado amarelo de reboco áspero. Naquele espaço nu estava rabiscada em vermelho sanguíneo uma única palavra —

RACHE

— O que acham disso? — exclamou o detetive, com o ar de um apresentador anunciando um espetáculo. — Isso não foi visto porque estava no canto mais escuro da sala, e ninguém pensou em procurar aqui. O assassino, ou a assassina, escreveu isso com o próprio sangue. Vejam o borrão onde ele escorreu pela parede! A hipótese de suicídio está descartada, de qualquer maneira. Por que este canto foi escolhido para escrever? Eu explico. Estão vendo aquela vela sobre a lareira? Estava acesa no momento, e com ela acesa, este canto é a parte mais iluminada, e não a mais escura da parede.

— E o que significa isso, agora que você *encontrou*? — perguntou Gregson, num tom de desprezo.

— O que significa? Ora, significa que o assassino, ou a assassina, iria escrever o nome feminino Rachel, mas algo interrompeu a tarefa antes que tivesse tempo de terminá-la. Anotem o que eu digo: quando este caso for esclarecido, vocês descobrirão que uma mulher chamada Rachel tem algo a ver com ele. Pode rir à vontade, Sr. Sherlock Holmes. O senhor pode ser muito inteligente e astuto, mas o cão de caça mais velho é o melhor, no fim das contas.

— Minhas sinceras desculpas! — disse meu colega, que suscitara a irritação do homenzinho, caindo na gargalhada. — Você certamente leva o crédito de ser o primeiro de nós a encontrar essa inscrição, que, como você disse, ao que tudo indica, foi escrita pelo outro participante do mistério da noite passada. Ainda não tive tempo de examinar esta sala, mas com sua permissão, farei isso agora.

Ato contínuo, ele tirou uma fita métrica e uma grande lupa do bolso. Com esses dois instrumentos, trotou silenciosamente pela sala, às vezes parando, ocasionalmente se ajoelhando, e uma vez se deitando completamente de bruços. Tão entretido estava em sua ocupação que parecia ter-se esquecido da nossa presença, já que tagarelava consigo mesmo em sussurros o tempo todo, despejando uma salva de exclamações, gemidos, assobios e gritinhos que sugeriam encorajamento e esperança. Enquanto eu o observava, me vinha à mente a imagem irresistível de um cão de caça puro-sangue e bem treinado, correndo de um lado para o outro no mato, ganindo sofregamente, até farejar o rastro perdido. Por vinte minutos ou mais, ele continuou suas pesquisas, medindo com o máximo de cuidado a distância entre marcas completamente invisíveis para mim, e ocasionalmente aplicando a fita métrica às paredes, de maneira igualmente incompreensível.

Num lugar, ele coletou cuidadosamente um montinho de cinzas do chão e o guardou num envelope. Finalmente, examinou com sua lupa a escrita na parede, verificando cada letra com a mais minuciosa exatidão. Feito isso, pareceu se dar por satisfeito, porque voltou a guardar a fita métrica e a lupa no bolso.

— Dizem que o gênio é a capacidade infinita de trabalhar dolorosamente — ele comentou com um sorriso. — É uma péssima definição, mas se aplica ao trabalho de detetive.

Gregson e Lestrade observaram as manobras de seu colega amador com considerável curiosidade e algum desprezo. Evidentemente, não reconheciam o fato, do qual eu começara a me dar conta, de que as ações mais insignificantes de Sherlock Holmes eram todas direcionadas para um fim prático e definido.

— O que acha, senhor? — ambos perguntaram.

— Eu estaria roubando de vocês o crédito pelo caso se presumisse poder ajudá-los — comentou o meu amigo. — Estão indo tão bem que seria uma pena alguém interferir. — O sarcasmo em sua voz, ao dizer isso, era imenso. — Se me mantiverem informado sobre como vão as investigações — ele continuou —, ficarei feliz em ajudar como puder. Enquanto isso, gostaria de falar com o policial que encontrou o corpo. Podem me dar seu nome e endereço?

Lestrade consultou o seu caderno.

— John Rance — disse. — Ele está de folga hoje. Poderá encontrá-lo na Audley Court, 46, Kennington Park Gate.

Holmes anotou o endereço.

— Venha, doutor — ele disse —; vamos procurá-lo. Vou dizer uma coisa que pode ajudá-los com o caso — continuou, virando-se para os dois detetives. — Foi um assassinato, e o assassino é um homem. Sua estatura é superior a um metro e noventa e cinco, ele está na flor da idade, tem pés pequenos para seu tamanho, usava botas rústicas de bico largo e fumava um charuto Trichinopoly. Chegou aqui com sua vítima num táxi de quatro rodas, puxado por um cavalo com três ferraduras velhas e uma nova na pata dianteira direita. Muito provavelmente, o assassino tinha o rosto avermelhado, e as unhas da sua mão direita estavam notavelmente longas. São só umas poucas indicações, mas podem ajudar.

Lestrade e Gregson se entreolharam com um sorriso incrédulo.

— Se o homem foi assassinado, como isso foi feito? — perguntou o primeiro.

— Veneno — disse Sherlock Holmes sucintamente, e se afastou. — Mais uma coisa, Lestrade — acrescentou, virando-se ao chegar à porta: — "Rache" significa "vingança" em alemão; portanto, não perca seu tempo procurando a Srta. Rachel.

E com esse golpe de misericórdia, se retirou, deixando os dois rivais boquiabertos para trás.

quatro
O QUE JOHN RANCE TINHA PARA CONTAR

Era uma da tarde quando saímos do nº 3 da Lauriston Gardens. Sherlock Holmes me levou até a agência telegráfica mais próxima, de onde despachou um longo telegrama. Depois chamou um táxi e pediu que o condutor seguisse para o endereço fornecido por Lestrade.

— Nada como um testemunho em primeira mão — ele comentou —; na verdade, já tirei completamente minhas conclusões sobre o caso, mas vale aprender tudo o que há para se aprender.

— Você me intriga, Holmes — disse eu. — Naturalmente, não tem tanta certeza quanto fingiu ter sobre todos os detalhes que deu.

— Não há espaço para enganos — ele respondeu. — A primeira coisa que notei ao chegar foi que um táxi fizera dois sulcos com suas rodas perto do meio-fio. Bem, até a noite passada, não chovia havia uma semana, então as rodas que deixaram uma marca tão funda devem ter estado lá durante a noite. Havia pegadas do cavalo também, e o contorno de uma delas era bem mais definido que o das outras três, mostrando que aquela ferradura era nova. Como o táxi esteve lá depois que a chuva começou, e não pela manhã, Gregson garantiu isso, segue-se que ele deve ter estado lá durante a noite, e, portanto, os dois indivíduos que estiveram na casa chegaram nele.

— Isso parece bastante simples — eu disse —; mas e quanto à estatura do outro homem?

— Ora, a estatura de um homem, em nove entre dez casos, pode ser calculada a partir do comprimento do seu passo. É um cálculo bastante simples, mas não há motivo para entediá-lo com detalhes. Eu tinha os passos desse sujeito na argila do lado de fora e na poeira lá dentro. E também tinha uma maneira de verificar meus cálculos. Quando alguém escreve numa parede, o instinto leva a escrever na altura dos olhos. Aquela palavra estava escrita pouco acima de 1,85 m do chão. Foi brincadeira de criança.

— E a idade dele? — perguntei.

— Bem, se um homem consegue saltar um metro e trinta sem o menor esforço, não deve estar tão encarquilhado. Essa era a largura de uma poça no caminho do jardim que ele evidentemente pulara. As botas de verniz deram a volta nela, e os sapatos de bico largo saltaram pelo meio. Não há mistério nenhum nisso. Estou simplesmente aplicando ao dia a dia alguns dos preceitos de observação e dedução que defendi naquele artigo. Mais alguma coisa o intriga?

— As unhas e o Trichinopoly — sugeri.

— A palavra foi escrita na parede com um dedo indicador sujo de sangue. Minha lente me permitiu observar que o estuque estava levemente arranhado, o que não aconteceria se o homem tivesse unhas curtas. Coletei um pouco de cinza do chão. Era escura e em flocos, cinza assim é produzida somente por um Trichinopoly. Fiz um estudo especial das cinzas de charutos; aliás, escrevi uma monografia sobre o assunto. Orgulho-me de poder distinguir à primeira vista as cinzas de qualquer marca conhecida de charuto ou tabaco. É em detalhes assim que o detetive habilidoso se diferencia do tipo de Gregson e Lestrade.

— E o rosto avermelhado? — perguntei.

— Ah, essa foi uma suposição mais ousada, embora eu não tenha dúvidas de que estou certo. Você não deve me perguntar isso na etapa atual do caso.

Passei a mão pela testa.

— Minha cabeça está rodando — comentei —; quanto mais penso nisso, mais misterioso fica. Como esses dois homens, se eram mesmo dois homens, entraram numa casa vazia? O que aconteceu com o cocheiro que os trouxe? Como um homem conseguiria convencer outro a tomar veneno? De onde veio o sangue? Qual o motivo do assassinato, já que nada foi roubado?

Como a aliança da mulher foi parar ali? Acima de tudo, por que o segundo homem escreveria a palavra RACHE antes de se retirar? Confesso que não consigo enxergar nenhuma maneira possível de reconciliar todos esses fatos.

Meu colega sorriu com aprovação.

— Você resumiu as dificuldades da situação sucintamente e bem — ele disse. — Muita coisa ainda está obscura, embora eu já esteja bastante decidido sobre os fatos principais. Quanto à descoberta do pobre Lestrade, foi simplesmente uma cortina de fumaça para pôr a polícia na pista errada, sugerindo socialismo e sociedades secretas. Ela não foi escrita por um alemão. O A, como talvez você tenha reparado, foi escrito mais ou menos à moda germânica. Ora, um alemão de verdade escreve invariavelmente o A à moda latina, portanto podemos dizer com segurança que a palavra não foi escrita por um alemão, e sim por um imitador descuidado que exagerou na dose. Foi simplesmente uma tática que visava desviar a investigação para um canal errado. Não vou lhe contar muito mais sobre o caso, doutor. Você sabe que um ilusionista não leva crédito algum depois que explica seu truque; e, se eu revelar demais o meu método de trabalho, você chegará à conclusão de que sou um indivíduo bastante comum, no fim das contas.

— Jamais vou concluir isso — respondi —; você é a pessoa neste mundo que mais fez a investigação se aproximar de uma ciência exata.

Meu colega corou de prazer ao ouvir minhas palavras, e a forma sincera como as proferi. Eu já havia observado que ele era tão sensível a lisonjas sobre seu talento quanto qualquer garota a elogios sobre sua beleza.

— Vou dizer mais uma coisa — ele acrescentou. — O Sr. Botas de Verniz e o Sr. Sapatos de Bico Largo chegaram no mesmo táxi, e andaram pelo caminho da forma mais amigável possível: de braços dados, provavelmente. Quando entraram, andaram pela sala, ou melhor, Verniz ficou parado enquanto Bico Largo andava para lá e para cá. Consegui ver tudo isso na poeira, e também que, enquanto andava, ele foi ficando mais e mais exaltado. Isso é revelado pela dimensão crescente dos seus passos. Estava falando ao fazer isso, e acabou acometido, sem dúvida, por um ataque de fúria. Então a tragédia aconteceu. Agora contei tudo o que eu mesmo sei até o momento, já que o resto é mera suposição e conjectura. Temos uma boa base de trabalho, porém, para começar. Precisamos nos apressar, porque quero ir ao concerto do Hallé para ouvir Norman-Neruda hoje à tarde.

Essa conversa acontecera enquanto nosso táxi se embrenhava por uma longa sucessão de ruas decadentes e becos medonhos. No mais decadente e medonho deles, nosso condutor parou de repente.

— Esta é Audley Court — ele disse, apontando para uma fenda estreita na parede de tijolos enegrecidos. — Vou esperar pelos senhores aqui.

Audley Court não era um local atraente. A passagem estreita nos levou a um quadrilátero pavimentado com paralelepípedos e rodeado por moradias sórdidas. Abrimos caminho entre grupos de crianças sujas e varais de roupas desbotadas até chegarmos ao número 46, cuja porta era decorada com uma plaquinha de latão com o nome Rance gravado. Ao perguntarmos, ficamos sabendo que o policial estava na cama, e fomos levados a um pequeno vestíbulo para aguardá-lo.

Ele logo apareceu, parecendo um pouco irritável por ter seu sono interrompido.

— Já fiz meu relatório na chefatura — disse.

Holmes tirou meio soberano do bolso e pôs-se a brincar com ele, pensativo.

— Gostaríamos de ouvir tudo diretamente dos seus lábios — disse.

— Ficarei muito feliz em contar tudo o que puder — respondeu o policial, seguindo a moedinha de ouro com os olhos.

— Apenas conte-nos tudo como aconteceu, à sua maneira.

Rance se sentou no sofá de crina e franziu o cenho, como se estivesse determinado a não omitir nada em sua narrativa.

— Vou contar desde o começo — disse. — Meu horário é das dez da noite até as seis da manhã. Às onze, houve uma briga no White Hart; mas, à parte isso, a ronda estava bem tranquila. À uma da manhã, começou a chover, e encontrei Harry Murcher, que faz a ronda em Holland Grove, e ficamos juntos na esquina da Henrietta Street, conversando. Finalmente, já deviam ser duas ou pouco mais do que isso, resolvi dar uma olhada nos arredores e ver se estava tudo certo na Brixton Road. A rua estava bem enlameada e deserta. Não encontrei vivalma até o fim da rua, mas um ou dois táxis passaram por mim. Eu ia caminhando, pensando com os meus botões como me cairiam bem quatro *pence* de gim quente, quando de repente um brilho na janela daquela casa me chamou a atenção. Pois bem, eu sabia que aquelas duas casas de Lauriston Gardens estavam vazias, porque o proprietário teimava em não mandar consertar o esgoto, mesmo depois que o último inquilino que ocupou uma delas morreu de febre tifoide. Por isso fiquei embasbacado quando vi uma luz na janela, e desconfiei que havia algo errado. Quando cheguei à porta...

— Você parou e voltou para o portão do jardim — meu colega interrompeu. — Por que fez isso?

Rance teve um sobressalto e olhou para Sherlock Holmes com o assombro mais completo em seu semblante.

— Ora, é verdade, senhor — ele disse —; mas como o senhor descobriu isso, só Deus sabe. Veja bem, quando cheguei à porta, estava tudo tão silencioso e deserto que achei melhor chamar alguém para entrar comigo. Não tenho medo de nada no mundo dos vivos; mas achei que pudesse ser o sujeito que morreu de febre tifoide inspecionando os esgotos que o mataram. Esse pensamento me deixou meio cismado, e voltei para o portão para ver se conseguia enxergar a lanterna de Murcher, mas não havia mais nenhum sinal dele, nem de pessoa alguma.

— Não havia ninguém na rua?

— Vivalma, senhor, nem mesmo um cachorro. Então tomei coragem, voltei e abri a porta. Tudo estava calmo lá dentro, por isso fui para a sala de onde vinha a luz. Havia uma vela acesa sobre a lareira, de cera vermelha, e à luz dela, vi...

— Sim, sei tudo o que você viu. Você andou pela sala várias vezes e se ajoelhou perto do corpo, depois atravessou a sala e tentou abrir a porta da cozinha, e então...

John Rance saltou de pé, assustado, com o olhar cheio de suspeita.

— Onde o senhor estava escondido, para ver tudo isso? — exclamou. — Acho que sabe muito mais do que deveria.

Holmes riu e jogou seu cartão de visitas sobre a mesa, diante do policial.

— Não vá me prender pelo assassinato — disse. — Sou um dos cães de caça, não o lobo; o Sr. Gregson ou o Sr. Lestrade poderão atestar isso. Mas continue. O que fez a seguir?

Rance se sentou novamente, porém sem perder a expressão assombrada.

— Voltei para o portão e soprei meu apito. Isso atraiu Murcher e mais dois homens ao local.

— A rua estava vazia nessa hora?

— Bem, estava, pelo menos de gente útil.

— Como assim?

As feições do policial se alargaram num sorriso.

— Já vi muitos camaradas bêbados nesta vida — ele disse

—, mas nunca um tão mamado quanto aquele sujeito. Estava no portão quando saí, se apoiando nas vigas e cantando a plenos pulmões sobre a nova bandeira de Columbine ou alguma coisa assim. Mal conseguia manter-se de pé, que dirá, então, ajudar.

— Como era esse homem? — perguntou Sherlock Holmes.

John Rance parecia um tanto irritado com essa digressão.

— Era um tipo de bêbado incomum — disse. — Teria ido parar na chefatura de polícia, se não estivéssemos tão ocupados.

— Seu rosto, sua roupa, você não reparou em nada disso? — Holmes interrompeu, impaciente.

— Na verdade, reparei sim, considerando que precisei escorá-lo — eu e Murcher o carregamos. Era um sujeito espichado e de cara vermelha, com um cachecol cobrindo a boca...

— Isso basta — exclamou Holmes. — O que é feito desse homem?

— Já tínhamos muito a fazer sem cuidar dele — o policial disse, com voz ofendida. — Deve ter chegado em casa são e salvo.

— Como estava vestido?

— Usava um sobretudo marrom.

— Tinha um chicote na mão?

— Um chicote, não.

— Deve tê-lo deixado em algum lugar — resmungou meu colega. — Por acaso você viu ou ouviu um táxi passar depois disso?

— Não.

— Tome este meio soberano — meu colega disse,

levantando-se e pegando seu chapéu. — Temo, Rance, que você jamais vá subir na polícia. Sua cabeça é para ser usada, não apenas para servir de enfeite. Você poderia ter sido promovido a sargento ontem. O homem no qual pôs as mãos é o que possui a chave deste mistério, e que estamos procurando. Não adianta discutir agora; estou apenas constatando o fato. Venha, doutor.

Voltamos para o táxi juntos, deixando nosso informante incrédulo, mas obviamente constrangido.

— Que pateta imprestável! — Holmes disse com amargura, enquanto voltávamos para nosso apartamento. — E pensar que teve essa sorte incomparável e não tirou vantagem dela.

— Eu continuo um tanto às escuras. É verdade que a descrição desse homem se aproxima da sua ideia do segundo participante neste mistério. Mas por que ele voltaria para a casa depois de sair de lá? Criminosos não agem assim.

— O anel, homem, o anel: foi para recuperá-lo que ele voltou. Se não tivermos nenhuma outra maneira de apanhá-lo, poderemos sempre usar o anel como isca. Eu vou pegá-lo, doutor, aposto dois contra um como vou pegá-lo. Devo agradecer a você por tudo isto. Eu não teria me interessado se não fosse por você, e iria perder o melhor estudo que já me apareceu: um estudo em vermelho, hein? Por que não usar um pouco o jargão artístico. O fio vermelho do assassinato permeia a meada sem cor da vida, e nossa missão é desemaranhá-la, isolar esse fio e expor cada centímetro dele. E agora, almoçar, e depois, Norman-Neruda. O modo como ela ataca as cordas e movimenta o arco é esplêndido. Como é aquela melodiazinha de Chopin que ela toca tão magnificamente: Trá-lá-lá-lira-lira-lá.

Relaxando no táxi, esse sabujo amador cantarolava como uma cotovia, enquanto eu meditava sobre as múltiplas facetas da mente humana.

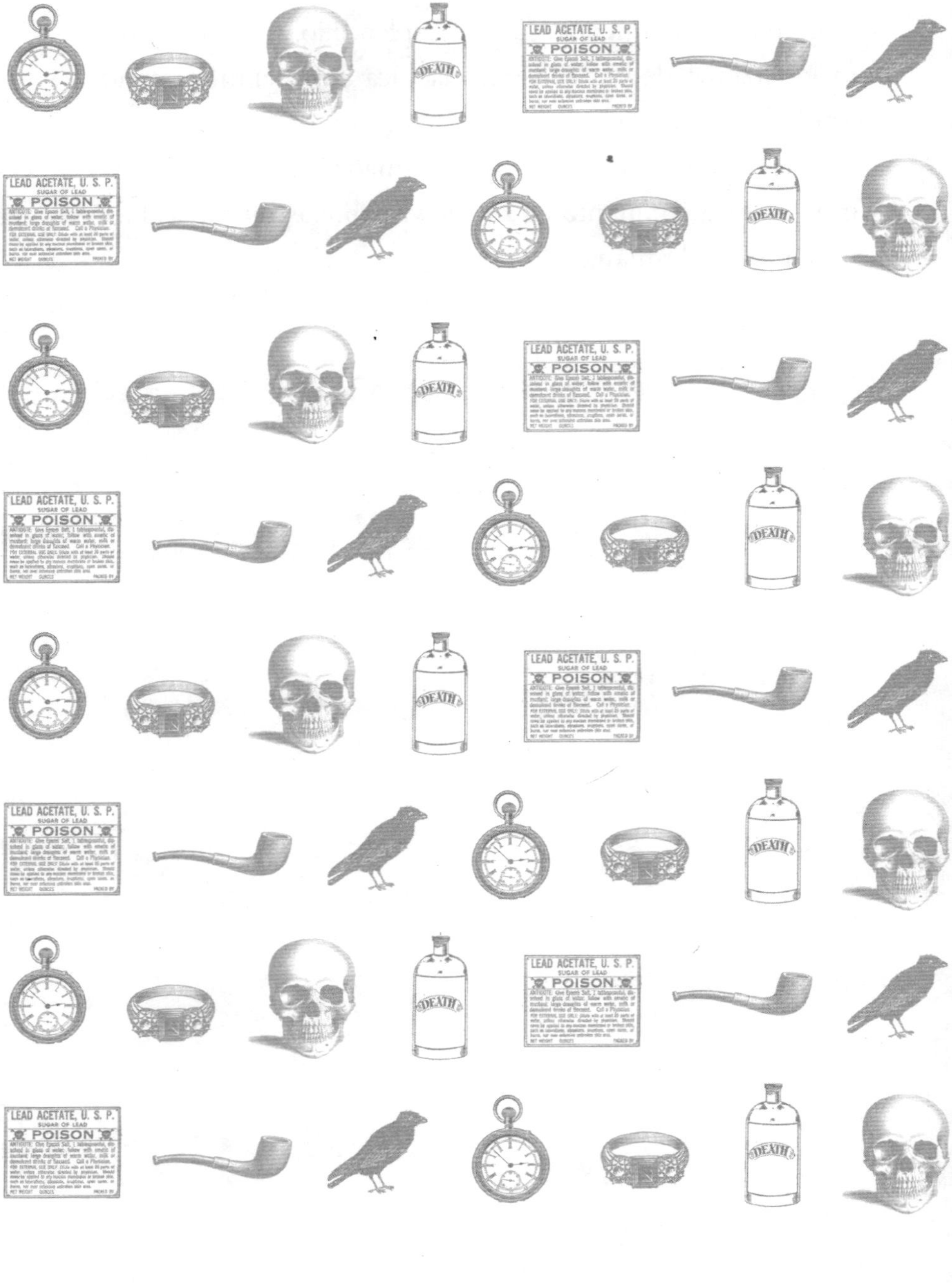
LEAD ACETATE, U. S. P.
SUGAR OF LEAD
POISON
DEATH

cinco
NOSSO ANÚNCIO ATRAI UMA VISITA

Nossos esforços matinais haviam sido excessivos para minha saúde debilitada, e eu estava esgotado à tarde. Depois que Holmes partiu para o concerto, deitei-me no sofá e tentei dormir por algumas horas. Era uma tentativa inútil. Minha mente estava agitada demais por causa de tudo o que acontecera, e as mais estranhas fantasias e suposições se amontoavam dentro dela. Cada vez que eu fechava os olhos, via diante de mim as feições distorcidas e simiescas do homem assassinado. Tão sinistra era a impressão que aquele rosto produzira em mim, que eu achava difícil sentir qualquer coisa além de gratidão por quem removera tal figura do mundo. Se alguma vez traços humanos já denotaram mal da pior espécie, certamente eles pertenciam a Enoch J. Drebber, de Cleveland. Mesmo assim, eu reconhecia que a justiça precisava ser feita, e que a depravação da vítima não constituía um indulto aos olhos da lei.

Quanto mais eu pensava nisso, mais extraordinária a hipótese do meu colega, de que o homem fora envenenado, se afigurava. Lembrei como Holmes cheirara seus lábios, e não tive dúvida de que ele detectara alguma coisa que dera origem a essa ideia. Ademais, se não veneno, o que teria causado a morte do homem, já que não havia ferimentos ou marcas de estrangulamento? Por outro lado, de quem era o sangue espalhado em tal abundância pelo chão? Não havia sinais de luta, tampouco a vítima tinha qualquer arma com a qual pudesse ter ferido seu antagonista. Enquanto essas questões ficassem sem solução, eu sentia que o sono não viria facilmente para Holmes ou para mim. Sua atitude calma e confiante me convencera de que ele já havia formulado uma teoria que explicava todos os fatos, embora eu não pudesse conjecturar nem por um instante qual fosse.

Ele voltou muito tarde — tão tarde que eu sabia que o concerto não poderia ter ocupado todo o seu tempo. O jantar fora servido antes que ele aparecesse.

— Foi magnífico — ele disse, sentando-se. — Lembra o que Darwin diz sobre a música? Ele alega que o poder de produzi-la e apreciá-la existia entre os humanos bem antes que estes desenvolvessem a fala. Talvez por isso sejamos tão sutilmente influenciados por ela. Existem vagas lembranças em nossa alma daqueles séculos brumosos, quando o mundo estava na infância.

— É uma ideia um tanto ampla — comentei.

— Nossas ideias precisam ser tão amplas quanto a natureza, se quisermos que interpretem a natureza — ele respondeu. — O que houve? Você não parece bem. Esse caso da Brixton Road o perturbou.

— Para dizer a verdade, perturbou mesmo — disse. — Eu deveria estar mais calejado, depois das minhas experiências afegãs. Vi meus camaradas serem esquartejados em Maiwand sem perder o controle.

— Posso entender. Este caso tem um mistério que estimula a imaginação; onde não há imaginação, não há horror. Viu o jornal vespertino?

— Não.

— Traz um relato bastante bom do caso. Não menciona o fato de que, quando o homem foi erguido, uma aliança de mulher caiu no chão. Ainda bem que não menciona.

— Por quê?

— Veja este anúncio — ele respondeu. — Mandei publicá-lo em todos os jornais esta manhã, imediatamente depois do acontecido.

Ele me passou o jornal e olhei para o lugar indicado. Era o primeiro anúncio na coluna de "Objetos Achados". "Na Brixton Road, esta manhã", dizia "foi encontrada uma aliança simples de ouro, na travessa entre a Taverna White Hart e a Holland Grove. Procurar o Dr. Watson na Baker Street, 221B, entre as oito e as nove da noite."

— Perdoe-me por ter usado seu nome — ele disse. — Se usasse o meu, alguns desses cabeças de bagre o reconheceriam e iriam querer se meter no caso.

— Está tudo bem — respondi. — Mas, se alguém responder ao anúncio, não tenho nenhuma aliança.

— Ah, tem sim — ele disse, entregando-me uma. — Esta serve muito bem. É quase uma cópia da outra.

— E quem você espera que vá responder a esse anúncio?

— Ora, o homem do sobretudo marrom, nosso amigo do rosto avermelhado e sapatos de bico largo. Se não vier pessoalmente, mandará um cúmplice.

— Ele não consideraria isso perigoso demais?

— De modo algum. Se minha visão do caso estiver correta, e tenho todo motivo para achar que está, esse homem arriscaria qualquer coisa para não perder a aliança. De acordo com minha teoria, ele a deixou cair ao se curvar sobre o corpo de Drebber, e não deu por falta dela naquele momento. Depois de sair da casa, notou sua perda e voltou rapidamente, mas já encontrou a polícia no local, graças à sua loucura em deixar a vela acesa. Precisou se fingir de bêbado para afastar as suspeitas que sua aparição no portão poderia ter suscitado. Agora ponha-se no lugar do sujeito. Pensando melhor, ele talvez tenha achado possível ter perdido a aliança na rua, depois de sair da casa. O que ele faria, então? Esperaria ansiosamente pelos jornais vespertinos, na esperança de vê-la na seção de "Achados". Naturalmente, ele veria isto. Ficaria exultante. Por que iria temer uma armadilha? Aos seus olhos, de modo algum encontrar a aliança teria alguma ligação com o assassinato. Ele viria. Ele virá. Você o receberá dentro de uma hora!

— E então? — perguntei.

— Oh, pode deixar que cuidarei dele. Você tem alguma arma?

— Tenho meu velho revólver de serviço e alguns cartuchos.

— É melhor limpá-lo e carregá-lo. O homem estará desesperado; e mesmo pegando-o desprevenido, tanto melhor estarmos preparados para tudo.

Fui até meu quarto e segui seu conselho. Quando voltei com a arma, a mesa havia sido desocupada, e Holmes estava absorto em seu passatempo favorito, de arranhar seu violino.

— A trama se adensa — ele disse quando entrei —; acabo de receber uma resposta ao meu telegrama americano. Minha visão do caso é a correta.

— E qual é? — perguntei ansiosamente.

— Minha rabeca precisa de cordas novas — ele comentou. — Ponha a arma no bolso. Quando o sujeito vier, fale com ele em tom normal. Deixe o resto comigo. Não o assuste olhando-o fixamente demais.

— São oito horas agora — eu disse, olhando no relógio.

— Sim. Provavelmente, ele estará aqui em alguns minutos. Abra um pouco a porta. Assim está bom. Agora ponha a chave do lado de dentro. Obrigado! Este é um livro estranho que comprei ontem, *De Jure inter Gentes*, publicado em latim em Liege, no sul da Escócia, em 1642. A cabeça de Carlos ainda estava firme sobre seus ombros quando este pequeno tomo de capa marrom foi impresso.

— Quem é o impressor?

— Philippe de Croy, seja quem for. Na folha de rosto, em nanquim quase apagado, está escrito "*Ex libris Gulielmi Whyte*". Eu me pergunto quem teria sido William Whyte. Algum advogado pragmático do século XVII, suponho. Sua caligrafia tem um ar jurídico. Acho que nosso homem vem aí.

Assim que ele disse isso, a campainha tocou. Sherlock Holmes se levantou devagar e aproximou sua poltrona da porta. Ouvimos a serviçal passar no corredor, e o estalo seco da tranca quando ela a abriu.

— O Dr. Watson mora aqui? — perguntou uma voz clara, mas um tanto áspera. Não pudemos ouvir a resposta da serviçal, mas a porta se fechou, e alguém começou a subir a escada. Os passos eram incertos e arrastados. Uma expressão de surpresa cruzou o rosto do meu colega quando ele os ouviu. Os passos avançaram lentamente pelo corredor, seguidos por batidas fracas na porta.

— Entre — exclamei.

Ao meu chamado, em vez do homem violento que esperávamos, uma mulher muito velha e encarquilhada entrou manquitolando. Ela pareceu ofuscada pelo clarão repentino, e depois de fazer uma mesura, ficou parada, piscando para nós com seus olhos baços e mexendo em seu bolso com dedos nervosos, trêmulos. Olhei para o meu colega, e seu rosto assumira uma expressão tão desconsolada que mal consegui me manter sério.

A velhota puxou um exemplar do jornal vespertino e apontou para o nosso anúncio.

— É isto que me traz aqui, bons cavalheiros — ela disse, fazendo outra mesura —, uma aliança de ouro na Brixton Road. É da minha menina Sally, que se casou um ano atrás, e o marido é taifeiro a bordo de um navio da União, e se ele voltar e a encontrar sem a aliança, nem quero pensar no que vai dizer, pois já é pavio curto quando tudo está bem, mais particularmente quando toma umas, porém. Por gentileza, ela foi ao circo noite passada junto com...

— Esta aliança é dela? — perguntei.

— Graças ao Senhor! — exclamou a velha. — Sally será uma mulher feliz esta noite. É essa aliança.

— E qual é o seu endereço? — perguntei, pegando um lápis.

— Duncan Street, número 13, Houndsditch. Fica bem longe daqui.

— A Brixton Road não fica entre nenhum circo e Houndsditch — Sherlock Holmes disse bruscamente.

A velha se virou e o encarou firmemente com seus olhinhos avermelhados.

— O cavalheiro perguntou o *meu* endereço — ela disse. — Sally mora num quarto na Mayfield Place, número 3, Peckham.

— E seu nome é...?

— Meu nome é Sawyer, o dela é Dennis, desde que Tom Dennis se casou com ela; rapaz esperto, decente também, contanto que esteja embarcado, e nenhum outro taifeiro da companhia é mais querido; mas, quando está em terra, com as mulheres e as tavernas...

— Aqui está a aliança, Sra. Sawyer — interrompi, obedecendo a um sinal do meu colega —; ela claramente pertence à sua filha, e fico feliz em poder devolvê-la à sua legítima dona.

Balbuciando muitas bênçãos e protestos de gratidão, a velhota guardou o anel no bolso e saiu arrastando os pés escada abaixo. Sherlock Holmes saltou de pé assim que ela desapareceu e correu para o seu quarto. Voltou segundos depois de sobretudo e gravata.

— Vou segui-la — disse precipitadamente —; deve ser uma cúmplice e me levará até ele. Espere-me acordado. — A porta de entrada mal batera atrás de nossa visitante, e Holmes já havia descido a escada. Pela janela, eu podia vê-la andando devagar do outro lado da rua, enquanto seu perseguidor a acompanhava à pequena distância. "Ou sua teoria toda é incorreta", pensei comigo mesmo, "ou ele será levado ao coração do mistério." Nem precisava ter pedido que eu o esperasse acordado, porque meu sono parecia impossível enquanto eu não ouvisse o resultado de sua aventura.

Eram quase nove horas quando ele partiu. Eu não fazia ideia de quanto tempo poderia demorar, mas fiquei resolutamente baforando meu cachimbo e compulsando as páginas da *Vie de Bohème*, de Henri Murger. Bateram as dez, e ouvi os passos da criada quando ela foi se deitar. Onze horas, e o andar mais ponderoso da senhoria passou pela minha porta, rumo ao mesmo destino. Era quase meia-noite quando ouvi o som agudo de sua chave. Assim que entrou, vi em seu rosto que ele não lograra êxito. Humor e decepção pareciam lutar pelo controle de seu semblante, até que o primeiro se saiu melhor, e ele rompeu numa sonora gargalhada.

— Eu não deixaria que o pessoal da Scotland Yard soubesse o que aconteceu nem por todo o ouro do mundo — exclamou, jogando-se em sua poltrona —; já os amolei tanto que eles nunca mais me deixariam em paz. Posso me dar ao luxo de rir, pois sei que irei à forra com eles, no fim das contas.

— O que aconteceu, então? — perguntei.

— Ah, não me importo de contar uma história que depõe contra mim. Aquela criatura mal dera alguns passos quando começou a mancar e dar toda indicação de estar com dor nos pés. Finalmente, parou e fez sinal para uma carruagem que passava. Consegui chegar perto dela o suficiente para ouvir o endereço, mas nem precisava ter ficado tão ansioso, porque ela o anunciou alto o suficiente para ser ouvida do outro lado da rua: "Para a Duncan Street, número 13, Houndsditch", berrou. Isso começa a parecer genuíno, pensei, e depois que a vi aboletar-se na cabine, sentei-me na traseira da carruagem. Essa é uma arte na qual todo detetive deveria ser especialista. Bem, lá fomos nós, sacolejando sem freio até chegarmos à rua em questão. Saltei antes que chegássemos à porta e caminhei pela rua de maneira casual, distraída. Vi o táxi parando. O cocheiro desceu, e o vi abrir a porta e esperar. Nada saiu, porém. Quando o alcancei, ele estava tateando freneticamente na cabine vazia e desfiando a mais bela coleção de pragas que já ouvi. Não havia nem sinal de sua passageira, e temo que tão cedo ele não receberá pela corrida. Ao perguntar no número 13, descobrimos que a casa pertencia a um respeitável forrador, chamado Keswick, que jamais ouvira falar de ninguém chamado Sawyer ou Dennis.

— Não está querendo dizer — exclamei, assombrado —, que aquela velhinha frágil e cambaleante conseguiu sair do táxi em movimento, sem que nem você nem o cocheiro a vissem?

— Velhinha, uma conversa! — disse Sherlock Holmes com veemência. — As velhinhas somos nós, de termos sido engambelados dessa maneira. Devia ser um jovem, e bastante ativo, além de ser um ator incomparável. O disfarce era inimitável. Ele percebeu que estava sendo seguido, sem dúvida, e usou esse artifício para se livrar de mim. Isso demonstra que o homem que procuramos não é tão solitário quanto imaginei, mas tem amigos prontos a arriscar algo por ele. Doutor, você parece esgotado. Siga meu conselho e recolha-se.

Eu certamente me sentia bastante exausto, por isso obedeci à sua injunção. Deixei Holmes sentado diante das brasas na lareira, e até alta madrugada ouvi os lamentos baixos e melancólicos de seu violino, que anunciavam que ele continuava ponderando o estranho problema que se dispusera a desemaranhar.

seis
TOBIAS GREGSON MOSTRA DO QUE É CAPAZ

Os jornais do dia seguinte estavam cheios do "Mistério de Brixton", como o batizaram. Cada um trazia um longo relato do caso, e alguns, além disso, tinham editoriais a respeito. Neles, havia algumas informações que eram novas para mim. Ainda tenho em meu álbum numerosos recortes e resumos falando do caso. Aqui está um resumo de alguns:

O *Daily Telegraph* comentou que raramente houve na história do crime uma tragédia que apresentasse características mais estranhas. O nome alemão da vítima, a ausência de qualquer outro motivo e a sinistra inscrição na parede, tudo apontava refugiados políticos e revolucionários como culpados. Os socialistas tinham várias sucursais na América, e o defunto havia, sem dúvida, infringido suas leis não escritas e sido caçado por eles.

UM ESTUDO EM VERMELHO

Depois de mencionar vagamente a Vehmgericht, água-tofana, os carbonários, a marquesa de Brinvilliers, a teoria darwiniana, os princípios de Malthus e os assassinatos da Ratcliff Highway,* o artigo concluía admoestando o governo e advogando uma vigilância mais severa sobre os estrangeiros na Inglaterra.

O *Standard* comentou o fato de que ultrajes desse tipo à lei costumavam acontecer quando os liberais estavam no poder. Eram decorrentes da perturbação mental das massas e do consequente enfraquecimento de toda autoridade. O falecido era um cavalheiro americano que estava morando havia algumas semanas na metrópole. Ele se hospedara no estabelecimento hoteleiro de Madame Charpentier, em Torquay Terrace, Camberwell. Era acompanhado em suas viagens por seu secretário particular, o Sr. Joseph Stangerson. Os dois se despediram de sua senhoria na terça-feira, dia 4 do corrente, e partiram para a Estação Euston com a intenção declarada de pegarem o expresso para Liverpool. Em seguida, foram

---

* Vehmgericht ou Liga da Corte Sagrada: organização de justiceiros que promovia julgamentos e execuções secretas na Vestfália, Alemanha, no período final da Idade Média. Água-tofana: veneno à base de arsênio muito utilizado do século XV ao XVII na Itália. Carbonários: membros de uma sociedade secreta derivada da franco--maçonaria, surgida na Itália no início do século XIX. Marie-Madeleine-Marguerite d'Aubray, marquesa de Brinvilliers (1630-1676): nobre francesa que, conspirando com seu amante, envenenou o próprio pai e dois irmãos para herdar suas propriedades. Thomas Malthus (1766-1834): economista britânico, autor de um ensaio que argumentava que sem controle populacional, a escassez de alimentos seria inevitável, uma vez que a produção de alimentos crescia em progressão aritmética, ao passo que a população se multiplicava em progressão geométrica. (N. T.)

vistos juntos na plataforma. Nada mais se soube deles até que o corpo do Sr. Drebber foi, conforme relatado, descoberto numa casa vazia na Brixton Road, a muitos quilômetros de Euston. Como ele chegou ali, ou como teve esse fim, são perguntas que ainda estão envolvidas em mistério. Nada se sabe do paradeiro de Stangerson. Ficamos felizes em saber que o Sr. Lestrade e o Sr. Gregson, da Scotland Yard, estão se dedicando ao caso, e antecipamos com confiança que esses renomados agentes esclarecerão rapidamente a questão.

O *Daily News* observou que não havia dúvida quanto à natureza política do crime. O despotismo e o ódio ao liberalismo que animavam os governos continentais tiveram o efeito de empurrar para os nossos portos um número de homens que seriam excelentes cidadãos, se não estivessem amargurados com a lembrança de tudo o que sofreram. Entre esses homens, havia um rígido código de honra, a menor infração do qual era punida com a morte. Todos os esforços deviam ser feitos para encontrar o secretário, Stangerson, e averiguar certos particulares nos hábitos da vítima. Deu-se um grande passo com a descoberta do endereço da casa onde o morto se hospedava — um resultado que se devia inteiramente à acuidade e energia do Sr. Gregson, da Scotland Yard.

Sherlock Holmes e eu líamos essas notícias juntos no desjejum, e elas pareciam diverti-lo consideravelmente.

— Eu avisei que, não importa o que aconteça, Lestrade e Gregson com certeza levarão o mérito.

— Depende do resultado do caso.

— Oh, meu caro, isso não importa nem um pouco. Se o homem for apanhado, será *por causa* dos esforços dos dois; se ele escapar, será *apesar* desses esforços. É cara eu ganho, coroa você perde. Façam o que fizerem, eles sempre terão seguidores. *"Un sot trouve toujours un plus sot qui l'admire."**

— Que diabos é isso? — exclamei, porque nesse momento ouvia-se o tropel de muitos passos no corredor e pela escada, acompanhado por expressões audíveis de revolta da parte de nossa senhoria.

— É a divisão da Baker Street da força policial — disse meu colega gravemente; e enquanto ele falava, meia dúzia dos mais sujos e maltrapilhos garotos de rua nos quais já pus os olhos irrompeu na sala.

— Sentido! — gritou Holmes, em tom incisivo, e os seis malandrinhos imundos perfilaram-se como tantas estatuetas desclassificadas. — Nas próximas vezes, vocês mandarão Wiggins sozinho para fazer o relatório, e o resto deve esperar na rua. Encontraram, Wiggins?

— Não, senhor, não encontramos — disse um dos garotos.

— Eu não esperava mesmo que encontrassem. Devem continuar tentando até conseguirem. Aqui estão seus honorários. — Ele entregou um xelim a cada um.

— Agora vão, e voltem com um relatório melhor da próxima vez.

---

*"Um tolo sempre encontra alguém mais tolo que o admira." Em francês no original. (N. T.)

Ele fez um gesto, e os meninos se precipitaram escada abaixo feito ratos, e ouvimos suas vozes estridentes, ato contínuo, na rua.

— Um só desses pequenos pedintes é mais eficiente que uma dúzia de homens da polícia — Holmes comentou. — A mera visão de alguém com jeito de oficial lacra os lábios das pessoas. Já esses jovens vão a toda parte e ouvem tudo. Também são espertos como raposas; só precisam de organização.

— É para o caso de Brixton que você os está usando? — perguntei.

— Sim, há um aspecto que desejo averiguar. É apenas questão de tempo. Olá! Agora, sim, vamos ter notícias! Lá está Gregson descendo a rua com a beatitude escrita em cada traço do seu rosto. Vem para cá, eu sei. Sim, está parando. Aí está ele!

A campainha tocou com violência, e segundos depois o detetive louro subiu a escada, três degraus de cada vez, e invadiu nossa sala de estar.

— Meu camarada — ele gritou, esmagando a mão inerte de Holmes —, dê-me os parabéns! Deixei a coisa toda tão clara quanto o dia.

Uma sombra de ansiedade me pareceu cruzar o rosto expressivo do meu colega.

— Então está na pista certa? — ele perguntou.

— Na pista certa! Ora, senhor, já trancafiamos o homem.

— E qual é o nome dele?

— Arthur Charpentier, subtenente da Marinha de Sua

Majestade — exclamou Gregson pomposamente, esfregando as mãos roliças e estufando o peito.

Sherlock Holmes deu um suspiro de alívio e relaxou com um sorriso.

— Sente-se e prove um destes charutos — ele disse. — Estamos ansiosos para saber como você conseguiu. Quer uísque com água?

— Não vou recusar — o detetive respondeu. — Os tremendos esforços que exerci nos últimos dias me esgotaram. Não tanto esforço físico, entendam, mas pressão sobre a mente. O senhor deve saber do que estou falando, Sr. Sherlock Holmes, já que ambos somos trabalhadores cerebrais.

— Você me honra demais — disse Holmes gravemente. — Ouçamos como chegou a esse resultado tão gratificante.

O detetive se sentou na poltrona e tragou complacentemente seu charuto. Então, de repente, deu um tapa na coxa, num paroxismo de bom humor.

— O mais engraçado — exclamou — é que aquele tolo do Lestrade, que se acha tão esperto, está completamente na pista errada. Está indo atrás do secretário Stangerson, que tem tanto a ver com o crime quanto um bebê que ainda não nasceu. Não tenho dúvidas de que já deve tê-lo encontrado, a esta altura.

A ideia divertia tanto Gregson que ele riu até se engasgar.

— E como você conseguiu essa pista?

— Ah, contarei tudo. Claro, Dr. Watson, que isso fica apenas entre nós. A primeira dificuldade que tivemos que enfrentar foi encontrar os antecedentes desse americano. Algumas pessoas esperariam até que seus anúncios fossem respondidos, ou que alguém se apresentasse e oferecesse informações. Mas Tobias Gregson não trabalha assim. Lembram-se do chapéu perto do cadáver?

— Sim — disse Holmes —; da John Underwood e Filhos, na Camberwell Road, 129.

Gregson pareceu murchar bastante.

— Eu não fazia ideia de que o senhor havia notado isso — disse. — Esteve lá?

— Não.

— Ha! — exclamou Gregson, com voz aliviada —; jamais deveria ignorar uma chance, por pequena que seja.

— Para uma grande mente, nada é pequeno — declarou Holmes, solene.

— Bem, procurei Underwood e perguntei se ele havia vendido um chapéu daquele tamanho e modelo. Ele consultou seus arquivos e logo descobriu. Enviara o chapéu para um Sr. Drebber, residente no Estabelecimento Hoteleiro Charpentier, em Torquay Terrace. Assim obtive seu endereço.

— Esperto, muito esperto! — murmurou Sherlock Holmes.

— A seguir, visitei a Madame Charpentier — continuou o detetive. — Achei-a muito pálida e perturbada. Sua filha também estava na sala, e é uma jovem de beleza incomum; tinha os olhos vermelhos e seus lábios tremiam quando falei com ela. Não deixei de notar isso. Comecei a farejar algo estranho. Conhece a sensação, Sr. Sherlock Holmes, de encontrar a pista certa, uma espécie de êxtase nos nervos. "A senhora soube da morte misteriosa do seu hóspede recente, o Sr. Enoch J. Drebber, de Cleveland?", perguntei.

"A mãe balançou a cabeça. Ela não parecia capaz de dizer palavra. A filha caiu no choro. Eu sentia cada vez mais que aquelas pessoas sabiam algo sobre o caso.

"'A que horas o Sr. Drebber saiu de sua casa para pegar o trem?', perguntei.

"'Às oito', ela disse, engolindo em seco para controlar a agitação. 'O secretário dele, o Sr. Stangerson, disse que havia dois trens, um às 9h15 e outro às 11h. Ele iria pegar o primeiro.'

"'E essa foi a última vez que a senhora o viu?'

"Uma mudança terrível aconteceu no rosto da mulher quando fiz essa pergunta. Seu semblante ficou completamente lívido. Alguns segundos se passaram antes que ela conseguisse pronunciar a palavra 'Sim', e quando falou, foi em tom rouco, artificial.

"O silêncio se fez por um momento, e então a filha falou com voz calma e clara.

"'A falsidade não traz nada de bom, mãe', ela disse. 'Sejamos francas com esse cavalheiro. Nós *vimos* o Sr. Drebber de novo.'

"'Que Deus a perdoe!', exclamou Madame Charpentier, jogando as mãos para o alto e afundando em sua poltrona. 'Você assassinou o seu irmão.'

"'Arthur iria preferir que disséssemos a verdade', a garota respondeu com firmeza.

"'É melhor que me contem tudo a respeito', eu disse. 'Meia confidência é pior do que nenhuma. Além disso, vocês ignoram quanto já sabemos sobre o caso.'

"'Isso recairá sobre a sua cabeça, Alice!', exclamou a mãe; e então, se virando para mim: 'Contarei tudo, senhor. Não imagine que minha preocupação com meu filho signifique um temor de que ele tenha alguma participação nesse terrível assunto. Ele é completamente inocente. Meu medo, no entanto, é que aos seus olhos e aos de outrem ele possa parecer envolvido. Tal coisa, no entanto, é certamente impossível. Seu caráter elevado, sua profissão, seus antecedentes proibiriam isso.'

"'É melhor a senhora se abrir e expor todos os fatos', respondi. 'Pode confiar: se seu filho for inocente, não será prejudicado.'

"'Talvez seja melhor você nos deixar a sós, Alice', ela disse, e a filha se retirou. 'Agora, senhor', ela continuou, 'eu não tinha intenção nenhuma de contar tudo isso, mas já que minha pobre filha o revelou, não me resta alternativa. Como decidi falar, contarei tudo sem omitir nenhum detalhe.'

"'É a decisão mais sábia', eu disse.

"'O Sr. Drebber ficou hospedado conosco quase três semanas. Ele e o secretário, o Sr. Stangerson, estavam viajando pelo continente. Notei etiquetas de Copenhague nos baús deles, mostrando que esta fora a sua última parada. Stangerson era um homem quieto, reservado, mas seu empregador, lamento dizer, era bem diferente. Tinha hábitos rudes e modos abrutalhados. Na mesma noite em que chegou, bebeu muito, e de fato, depois do meio-dia, quase nunca estava sóbrio. Tomava liberdades revoltantes com as criadas. E o que é pior, rapidamente assumiu a mesma atitude com minha filha, Alice, e mais de uma vez lhe falou de uma forma que, felizmente, ela é inocente demais para entender. Numa ocasião, chegou a segurá-la e abraçá-la, um ultraje que fez seu próprio secretário repreendê-lo pela conduta selvagem.'

"'Mas por que a senhora tolerava tudo isso?', perguntei. 'Imagino que possa se livrar de seus hóspedes, se assim desejar.'

"Madame Charpentier corou com minha pertinente pergunta. 'Quem dera eu o tivesse mandado embora no mesmo dia em que chegou', disse. 'Mas era uma tentação amarga. Eles pagavam uma libra por dia cada um, catorze libras por semana, e estamos na baixa temporada. Sou viúva, e pôr meu menino na Marinha me custou muito. Eu lamentava perder aquele dinheiro. Agi pensando no melhor. Esse último rompante foi demais, porém, por isso mandei que ele fosse embora. Esse foi o motivo de sua partida.'

"'E então?'

"'Meu coração ficou mais leve quando o vi se afastando. Meu filho está de licença no momento, mas não lhe contei nada do que acontecera, porque seu temperamento é violento, e ele é apaixonado pela irmã. Quando fechei a porta atrás deles, eu parecia ter tirado um peso das costas. Infelizmente, menos de uma hora depois, tocaram a campainha, e fiquei sabendo que o Sr. Drebber retornara. Estava muito exaltado, e evidentemente havia bebido. Forçou a entrada na sala, onde eu estava com minha filha, e fez algum comentário incoerente sobre ter perdido o trem. Então se virou para Alice, e na minha frente lhe propôs que fugisse com ele. 'Você é maior de idade', ele disse, 'e nenhuma lei pode impedir. Eu tenho dinheiro de sobra. Não ligue para essa velha, parta comigo já. Vai viver como uma princesa.' A pobre Alice estava tão apavorada que se encolhia toda, mas ele a pegou pelo pulso e conseguiu arrastá-la para a porta. Eu gritei, e naquele momento meu filho Arthur apareceu. O que aconteceu a seguir, eu não sei. Ouvi imprecações e os sons confusos de uma briga. Estava aterrorizada demais para levantar a cabeça. Quando ergui os olhos, vi Arthur à porta, rindo, com um porrete na mão. 'Acho que esse bom homem não vai nos incomodar novamente', ele disse. 'Vou atrás dele, para ver o que vai fazer.' Com essas palavras, pegou seu chapéu e saiu pela rua. Na manhã seguinte, soubemos da morte misteriosa do Sr. Drebber."

"Esse depoimento saiu dos lábios de Madame Charpentier em meio a muitos soluços e pausas. Às vezes ela falava tão baixo que eu mal conseguia entender. Estenografei tudo o que ela disse, porém, para que não houvesse nenhuma possibilidade de erro."

— Muito empolgante — disse Sherlock Holmes, bocejando. — E o que aconteceu a seguir?

— Quando Madame Charpentier parou de falar — continuou o detetive —, percebi que o caso todo dependia de um único particular. Olhando-a fixamente de uma forma que sempre considerei eficaz com as mulheres, perguntei a que horas seu filho regressara.

"'Não sei', ela respondeu.

"'Não sabe?'

"'Não; ele tem a chave e entrou sozinho.'

"'Depois que a senhora tinha ido dormir?'

"'Sim.'

"'A que horas a senhora foi dormir?'

"'Por volta das onze.'

"'Então seu filho ficou ausente por pelo menos duas horas?'

"'Sim.'

"'Quatro ou cinco, possivelmente?'

"'Sim.'

"'E o que ele estava fazendo durante esse tempo?'

"'Não sei', ela respondeu, empalidecendo até nos lábios.

"Naturalmente, depois disso, não havia mais o que fazer. Descobri onde o tenente Charpentier estava, levei dois homens comigo e o prendi. Quando bati no ombro dele e o avisei que nos acompanhasse em silêncio, ele reagiu com uma audácia sem par. 'Imagino que esteja me prendendo por envolvimento na morte daquele canalha do Drebber', disse. Não havíamos dito nada a respeito, portanto, sua menção do fato se revestiu de um ar muito suspeito."

— Muito — disse Holmes.

— Ele ainda levava o pesado porrete que, segundo a

mãe, estava com ele quando seguiu Drebber. Era um taco de carvalho maciço.

— Qual sua teoria, então?

— Bem, minha teoria é que ele seguiu Drebber até a Brixton Road. Chegando ali, uma nova altercação começou entre os dois, durante a qual Drebber recebeu um golpe do porrete, na boca do estômago, talvez, que o matou sem deixar qualquer sinal. A noite estava tão chuvosa que não havia ninguém por perto, por isso Charpentier arrastou o cadáver de sua vítima para a casa vazia. Quanto à vela, o sangue, a escrita na parede e a aliança, podem ter sido todos truques para despistar a polícia.

— Bom trabalho! — disse Holmes, com voz encorajadora. — Realmente, Gregson, você está progredindo. Ainda vamos fazer algo de você.

— Gosto de pensar que me saí bastante bem — o detetive respondeu orgulhosamente. — O jovem ofereceu um depoimento no qual disse que, depois de seguir Drebber por algum tempo, este último o notou e tomou um táxi para fugir dele. A caminho de casa, o tenente encontrou um velho camarada da Marinha e fez uma longa caminhada com ele. Quando perguntamos onde esse velho camarada morava, ele não conseguiu dar uma resposta satisfatória. Acho que o caso todo se encaixa incrivelmente bem. O que me diverte é pensar em Lestrade, que começou seguindo a pista errada. Temo que não irá muito longe com ela. Ora, por Júpiter, aí está o dito cujo em pessoa!

Era de fato Lestrade, que subira a escada enquanto estávamos conversando, e agora entrava na sala. A segurança e a jovialidade que geralmente marcavam sua fisionomia estavam, no entanto, ausentes. Seu rosto estava perturbado e preocupado, e suas roupas, sujas e amarrotadas. Ele evidentemente viera para consultar Sherlock Holmes, pois, ao notar seu colega, pareceu constrangido e nervoso. Ficou parado no meio da sala, mexendo nervosamente no chapéu, sem saber o que fazer.

— Este é um caso realmente extraordinário — disse finalmente —, um problema realmente incompreensível.

— Ah, acha mesmo, Sr. Lestrade? — exclamou Gregson, triunfante. — Imaginei que o senhor chegaria a essa conclusão. Conseguiu localizar o secretário, o Sr. Joseph Stangerson?

— O secretário, o Sr. Joseph Stangerson — disse Lestrade, com voz grave —, foi assassinado no Hotel Particular Halliday's por volta das seis desta manhã.

sete
LUZ NA ESCURIDÃO

A informação com a qual Lestrade nos saudou era tão intempestiva e inesperada que ficamos os três bastante embasbacados. Gregson saltou de sua poltrona, derramando o restante de seu uísque com água. Olhei em silêncio para Sherlock Holmes, cujos lábios estavam apertados e o cenho franzido.

— Stangerson também! — ele balbuciou. — A trama se adensa.

— Já estava bem densa antes — resmungou Lestrade, indo para uma poltrona. — Parece que interrompi uma espécie de conselho de guerra.

— Você tem... tem certeza dessa informação? — gaguejou Gregson.

— Acabo de vir do quarto dele — disse Lestrade. — Fui o primeiro a descobrir o que aconteceu.

— Estávamos ouvindo a opinião de Gregson sobre o caso

— Holmes observou. — Você se importaria em nos dizer o que viu e fez?

— Não me oponho a isso — Lestrade respondeu, sentando-se. — Confesso abertamente que eu era da opinião de que Stangerson estava envolvido na morte de Drebber. Este novo desenvolvimento me mostrou que eu estava completamente enganado. Tomado por essa ideia fixa, me empenhei em descobrir o que fora feito do secretário. Os dois haviam sido vistos juntos na Estação Euston por volta das 20h30, na noite do dia 3. Às 2h, Drebber foi encontrado na Brixton Road. A questão, para mim, era descobrir do que Stangerson se ocupara entre 20h30 e a hora do crime, e o que acontecera com ele depois. Telegrafei para Liverpool, dando uma descrição do homem e avisando-os para vigiarem os navios americanos. Então pus-me a trabalhar, entrando em contato com todos os hotéis e pensões nas proximidades de Euston. Vejam bem, eu era da opinião de que, como Drebber e seu colega se desencontraram, o mais natural para este último seria passar a noite em algum lugar nas proximidades, e ficar esperando na estação novamente na manhã seguinte.

— Provavelmente eles teriam combinado algum ponto de encontro antes — comentou Holmes.

— Foi o que aconteceu. Passei a tarde toda de ontem investigando, completamente sem resultados. Esta manhã, comecei bem cedo, e às oito cheguei ao Hotel Particular Halliday's, na Little George Street. Ao perguntar se um Sr. Stangerson estava hospedado ali, a resposta foi imediatamente afirmativa.

"'Sem dúvida, o senhor deve ser o cavalheiro que ele está esperando', disseram. 'Já espera essa pessoa há dois dias.'

"'Onde ele está, agora?', perguntei.

"'Em seu quarto, dormindo. Pediu para ser acordado às nove.'

"'Vou subir e falar com ele já.'

"Achei que minha aparição inesperada poderia abalar seus nervos e levá-lo a dizer algo sem pensar. O funcionário se ofereceu para me levar até o quarto: era no segundo andar, e um pequeno corredor levava até ele. O funcionário apontou a porta para mim, e ia descer novamente quando vi algo que me causou náuseas, apesar dos meus vinte anos de experiência. Por baixo da porta saía um fiozinho vermelho de sangue, que serpenteara pelo chão e formara uma pequena poça ao longo da soleira, do lado de fora. Dei um grito, o que atraiu novamente o funcionário. Ele quase desmaiou ao ver aquilo. A porta estava trancada por dentro, mas usamos nossos ombros e a arrombamos. A janela do quarto estava aberta e, ao lado da janela, encolhido, se encontrava o corpo de um homem em roupa de dormir. Estava certamente morto, e já havia algum tempo, pois seus membros estavam rijos e frios. Quando viramos o corpo, o funcionário imediatamente o reconheceu como o cavalheiro que se registrara como Joseph Stangerson. A *causa mortis* era uma perfuração profunda do lado esquerdo, que deve ter penetrado o coração. E agora vem a parte mais estranha do caso. O que vocês imaginam que havia acima do homem assassinado?"

Senti minha pele se arrepiando, e um pressentimento de horror iminente, antes mesmo que Sherlock Holmes respondesse.

— A palavra RACHE, escrita em letras de sangue — ele disse.

— Exatamente — disse Lestrade, com voz assombrada; e todos ficamos em silêncio por algum tempo.

Havia algo tão metódico e incompreensível nas ações desse assassino desconhecido, que tornava seus crimes ainda mais macabros. Meus nervos, que eram firmes no campo de batalha, formigavam quando eu pensava nisso.

— O homem foi visto — continuou Lestrade. — Um entregador de leite, passando a caminho do trabalho, entrou por acaso no beco que sai da estrebaria nos fundos do hotel. Ele notou que uma escada, que normalmente fica guardada ali, fora erguida e apoiada a uma das janelas do segundo andar, que estava escancarada. Depois de passar, ele olhou para trás e viu um homem descendo pela escada. Desceu tão silenciosa e naturalmente que o garoto imaginou que fosse algum carpinteiro ou marceneiro fazendo consertos no hotel. Não prestou muita atenção nele, à parte achar que era cedo para que ele estivesse trabalhando. Segundo o garoto, o homem era alto, de rosto avermelhado e usava um sobretudo comprido marrom. Deve ter ficado no quarto algum tempo depois do assassinato, porque achamos água misturada com sangue na tina, onde ele lavou as mãos, e marcas nos lençóis, nos quais deliberadamente limpou seu punhal.

Olhei para Holmes ao ouvir a descrição do assassino, que

coincidia exatamente com a que ele fizera. Não havia, no entanto, nenhum sinal de triunfo ou satisfação em seu rosto.

— Não encontrou nada no quarto que pudesse dar uma pista do assassino? — ele perguntou.

— Nada. Stangerson tinha a carteira de Drebber no bolso, mas parece que isso era normal, já que era ele que fazia todos os pagamentos. Havia oitenta e poucas libras dentro dela, mas nada fora roubado. Sejam quais forem os motivos desses crimes extraordinários, roubo certamente não é um deles. Não havia documentos ou bilhetes nos bolsos da vítima, a não ser um único telegrama, recebido de Cleveland há cerca de um mês, contendo as palavras: "J. H. está na Europa". Essa mensagem não estava assinada.

— E não havia mais nada? — Holmes perguntou.

— Nada de qualquer importância. O romance do homem, que ele lia para dormir, estava em cima da cama, e seu cachimbo, numa cadeira ao seu lado. Havia um copo d'água sobre a mesa e, na sacada da janela, uma caixinha de unguento contendo um par de pílulas.

Sherlock Holmes saltou de sua poltrona com uma exclamação de alegria.

— O último elo — gritou, exultante. — Meu caso está completo.

Os dois detetives olharam para ele, assombrados.

— Agora tenho em mãos — meu colega continuou, confiante — todos os fios que formam esse novelo. Falta, é claro, incluir alguns detalhes, mas estou tão certo sobre todos os fatos principais, do momento em que Drebber se separou de Stangerson na estação até a descoberta do cadáver deste último, como se eu tivesse assistido a tudo com meus próprios olhos. Darei uma prova do meu conhecimento. Poderia me arranjar aquelas pílulas?

— Estou com elas — disse Lestrade, tirando uma caixinha branca do bolso —; peguei-as, junto com a carteira e o telegrama, para guardá-las num lugar seguro na chefatura de polícia. Foi puro acaso eu ter trazido estas pílulas, porque devo dizer que não dei muita importância a elas.

— Dê aqui — disse Holmes. — Agora, doutor — virando-se para mim —, estas são pílulas comuns?

Certamente não eram. Eram de cor cinza-pérola, pequenas, redondas e quase transparentes contra a luz.

— Por sua leveza e transparência, imagino que sejam solúveis em água — comentei.

— Exatamente — respondeu Holmes. — Agora se importaria em descer e trazer aquele pobre diabo de um *terrier* que está doente há tanto tempo, e que a senhoria queria que você sacrificasse ontem?

Desci a escada e carreguei o cão para cima em meus braços. A respiração ofegante e os olhos baços indicavam que seu fim não tardaria. De fato, seu focinho grisalho anunciava que ele já excedera a expectativa de vida canina normal. Eu o coloquei sobre uma almofada no tapete.

— Agora dividirei uma destas pílulas na metade — disse Holmes, e sacando seu canivete, passou das palavras à ação. — Metade devolveremos na caixa para uso futuro. A outra metade colocarei nesta taça de vinho, junto com uma colher de chá de água. Percebam que nosso amigo, o doutor, tinha razão, e ela prontamente se dissolve.

— Isso pode ser muito interessante — disse Lestrade, com o tom ofendido de alguém que desconfia estar sendo ridicularizado —; no entanto, não consigo entender o que tem a ver com a morte do Sr. Joseph Stangerson.

— Paciência, meu amigo, paciência! No momento certo, você verá que tem tudo a ver com ela. Agora acrescentarei um pouco de leite para tornar a mistura palatável, e ao apresentá-la ao cão, veremos que ele a toma prontamente.

Enquanto falava, ele derramou o conteúdo da taça num prato e o colocou diante do *terrier*, que rapidamente tomou tudo. A expressão franca de Sherlock Holmes nos convencera a tal ponto que todos ficamos em silêncio, observando o animal atentamente, e esperando algum efeito estarrecedor. Nada aconteceu, porém. O cão continuou deitado sobre a almofada, respirando com dificuldade, mas aparentemente nem melhor nem pior por causa da bebida.

Holmes sacara seu relógio, e à medida que os minutos se passavam sem resultado, uma expressão do mais completo desânimo e decepção tomou conta do seu semblante. Ele mordia o lábio, tamborilava com os dedos sobre a mesa e, exibia todos os sintomas de impaciência aguda. Tão grande era a sua emoção que me causou uma pena sincera, enquanto os dois detetives sorriam derrisoriamente, nem um pouco descontentes com o obstáculo que ele encontrara.

— Não pode ser coincidência — Holmes exclamou, finalmente saltando de sua poltrona e andando furiosamente pela sala —; é impossível que seja mera coincidência. As mesmas pílulas que suspeitei no caso de Drebber são encontradas depois da morte de Stangerson. No entanto, são inertes. O que isso pode significar? Certamente, toda a minha linha de raciocínio não pode ser falsa. É impossível! No entanto, este cão miserável não está pior. Ah, já sei! Já sei! — Com um sincero grito de prazer, ele correu para a caixa, cortou a outra pílula ao meio, dissolveu-a, acrescentou leite e apresentou-a ao *terrier*. A língua da infeliz criatura mal pareceu mergulhar nele quando o animal teve um tremor convulsivo em todos os membros, e ficou rígido e sem vida, como se tivesse sido atingido por um raio.

Sherlock Holmes inspirou profundamente e enxugou o suor da testa.

— Eu deveria ter mais fé — disse —; já deveria saber, a esta altura, que, quando um fato parece se opor a uma longa série de deduções, ele invariavelmente resulta capaz de se encaixar em alguma outra interpretação. Das duas pílulas naquela caixa, uma continha o veneno mais mortal, e a outra era totalmente inofensiva. Eu deveria saber disso antes mesmo de ver a caixa.

Essa última declaração me pareceu tão assombrosa que eu mal conseguia acreditar que ele estivesse sóbrio. Lá estava o cão morto, no entanto, para provar que sua conjectura estava correta. O nevoeiro na minha própria mente parecia estar gradualmente se dissipando, e comecei a ter uma vaga e tênue percepção da verdade.

— Tudo isso parece estranho a vocês — continuou Holmes —, porque não foram capazes, no início da investigação, de entender a importância da única pista real que lhes foi apresentada. Tive a sorte de me agarrar a ela, e tudo o que aconteceu desde então serviu para confirmar minha suposição original, e, de fato, foi sua consequência lógica. Assim, coisas que deixaram vocês perplexos e tornaram o caso mais obscuro serviram para me iluminar e corroborar minhas conclusões. É um erro confundir estranheza com mistério. O crime mais comum é muitas vezes o mais misterioso, porque não apresenta nenhuma característica nova ou especial da qual se possam inferir deduções. Este assassinato teria sido infinitamente mais difícil de desvendar se o corpo da vítima tivesse simplesmente sido encontrado na estrada, sem nenhum desses acompanhamentos excêntricos e sensacionais que o tornaram memorável. Esses detalhes estranhos, longe de tornar o caso mais difícil, na verdade tiveram o efeito de facilitá-lo.

O Sr. Gregson, que ouvira esse discurso com considerável impaciência, não conseguiu mais se conter.

— Olhe aqui, Sr. Sherlock Holmes — ele disse —,

estamos todos preparados para reconhecer que o senhor é inteligente, e que tem seus próprios métodos de trabalho. Agora queremos algo mais do que mera teoria e sermões, no entanto. A questão é pegar o homem. Eu expus meu caso, e parece que estava enganado. O jovem Charpentier não poderia estar metido nesse segundo crime. Lestrade foi atrás de seu suspeito, Stangerson, e pelo visto também estava errado. O senhor deu pistas aqui e ali, e parece saber mais do que sabemos, mas chegou a hora em que nos sentimos no direito de perguntar diretamente quanto o senhor sabe sobre o caso. Pode dar o nome do culpado?

— Não consigo deixar de achar que Gregson tem razão, senhor — comentou Lestrade. — Ambos tentamos e fracassamos. O senhor declarou mais de uma vez, desde que cheguei, que tem todas as evidências de que precisa. Certamente não fará mais segredo delas.

— Qualquer demora em deter o assassino — observei —, pode lhe dar tempo para perpetrar alguma nova atrocidade.

Assim pressionado por todos nós, Holmes mostrou sinais de indecisão. Continuou andando pela sala com o queixo apoiado no peito e o sobrolho franzido, como era seu costume quando estava perdido em pensamentos.

— Não haverá mais assassinatos — ele disse por fim, parando abruptamente e olhando para nós. — Podem considerar isso fora de cogitação. Vocês me perguntaram se eu sei o nome do assassino. Eu sei. O mero conhecimento do seu nome é algo menor, no entanto, comparado com a capacidade de pôr as mãos nele. Espero fazer isso muito em breve. Tenho boas esperanças de lograr êxito mediante meus próprios preparativos; mas é uma coisa que requer condução delicada, pois estamos lidando com um homem habilidoso e desesperado, que é apoiado, como tive ocasião de provar, por outro tão astuto quanto ele. Enquanto esse homem não fizer ideia de que alguém está em seu encalço, teremos alguma chance de capturá-lo; mas, se ele tiver a menor suspeita, mudará de nome e desaparecerá num instante em meio aos quatro milhões de habitantes desta imensa cidade. Sem querer ferir os sentimentos de vocês, preciso dizer que considero esses dois homens mais do que páreo para a força policial, e foi por isso que não pedi sua ajuda. Se eu fracassar, naturalmente, aceitarei toda a culpa, devido a essa omissão; mas estou preparado para tanto. No momento, posso prometer que, assim que eu puder me comunicar com vocês sem pôr em risco meus planos, farei isso.

Gregson e Lestrade não pareceram nem um pouco satisfeitos com essa garantia, nem com a alusão depreciativa à força policial. O primeiro enrubescera até a raiz de seu cabelo louro, enquanto os olhinhos do outro reluziam de curiosidade e ressentimento. Nenhum dos dois teve tempo de falar, todavia, antes que batessem à porta, e o porta-voz dos garotos de rua, o jovem Wiggins, introduzisse sua insignificante e desagradável presença.

— Por favor, senhor — ele disse, tocando sua franja —, o táxi está lá embaixo.

— Bom menino — disse Holmes calmamente. — Por que não começam a usar este modelo na Scotland Yard? — ele continuou, tirando um par de algemas de aço de uma gaveta. — Vejam como a mola funciona magnificamente. Fecha num instante.

— O modelo antigo está ótimo — comentou Lestrade —, basta que encontremos o homem para algemá-lo.

— Muito bem, muito bem — disse Holmes, sorrindo. — O cocheiro poderia me ajudar com minhas caixas. Peça que ele suba, Wiggins.

Fiquei surpreso ao ouvir meu colega falando como se estivesse de partida, já que ele nada me dissera a respeito. Havia um pequeno baú na sala, que ele puxou e começou a afivelar. Estava ocupado com isso quando o cocheiro entrou.

— Ajude-me com esta fivela, cocheiro — ele disse, ajoelhando-se para apertá-la, sem virar a cabeça.

O sujeito se aproximou com ar algo agastado e desafiador, e estendeu as mãos para ajudar. Nesse instante, ouviu-se um estalo sonoro, o tilintar de metal, e Sherlock Holmes ficou novamente de pé.

— Cavalheiros — ele exclamou, com um brilho no olhar —, permitam-me apresentar o Sr. Jefferson Hope, o assassino de Enoch Drebber e Joseph Stangerson.

Tudo aconteceu num instante — tão rapidamente que não

tive tempo de me dar conta. Tenho uma lembrança vívida desse momento, da expressão triunfante de Holmes e do som de sua voz, do rosto selvagem e atordoado do cocheiro, fitando as algemas brilhantes que apareceram, como num passe de mágica, em seus pulsos. Por um segundo ou dois, tornamo-nos um grupo de estátuas. Então, com um rugido incoerente de fúria, o prisioneiro se desvencilhou de Holmes e se jogou contra a janela. Caixilho e vidraça cederam com o impacto; mas antes que ele a atravessasse por completo, Gregson, Lestrade e Holmes saltaram-lhe em cima como uma matilha de cães de caça. Ele foi arrastado de volta para a sala, e então começou um conflito pavoroso. Tão robusto e feroz era o homem, que nós quatro fomos lançados longe várias vezes. Ele parecia ter a força convulsiva de um homem acometido por um ataque epiléptico. Seu rosto e suas mãos estavam terrivelmente feridos pela passagem através do vidro, mas a perda de sangue não diminuía sua resistência. Só quando Lestrade conseguiu enfiar a mão em seu colarinho e quase o estrangulou, pudemos convencê-lo de que sua recalcitrância era inútil; e mesmo então, não nos sentimos seguros enquanto não imobilizamos seus pés e mãos. Feito isso, nos levantamos, esgotados e ofegantes.

— Temos o táxi dele — disse Sherlock Holmes. — Servirá para levá-lo até a Scotland Yard. E agora, cavalheiros — ele continuou, com um sorriso agradável —, chegamos ao fim do nosso pequeno mistério. Quaisquer perguntas suas serão bem-vindas, agora, e não há perigo de que eu me recuse a respondê-las.

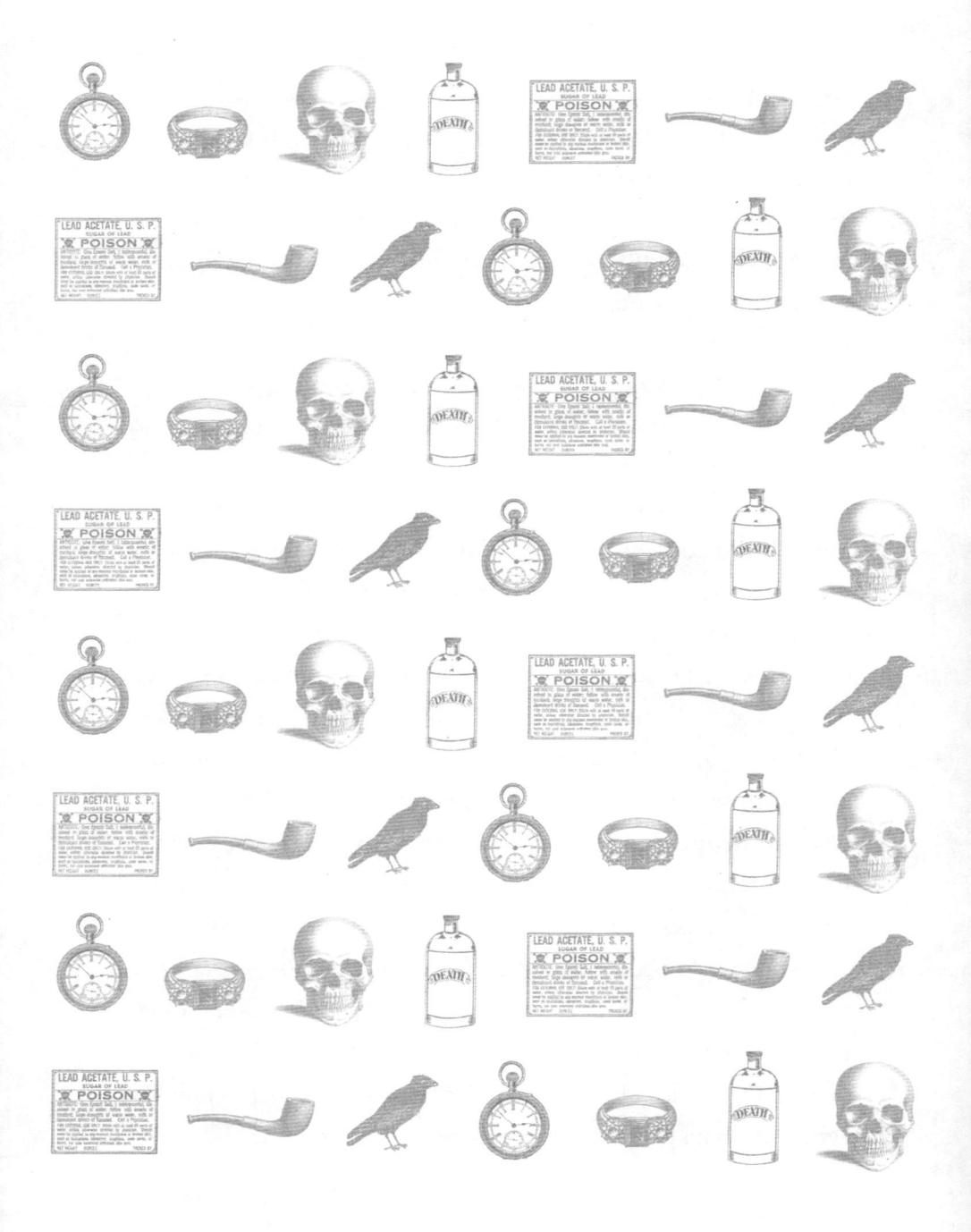
LEAD ACETATE, U. S. P.
SUGAR OF LEAD
POISON
DEATH

PARTE DOIS

A Terra dos Santos

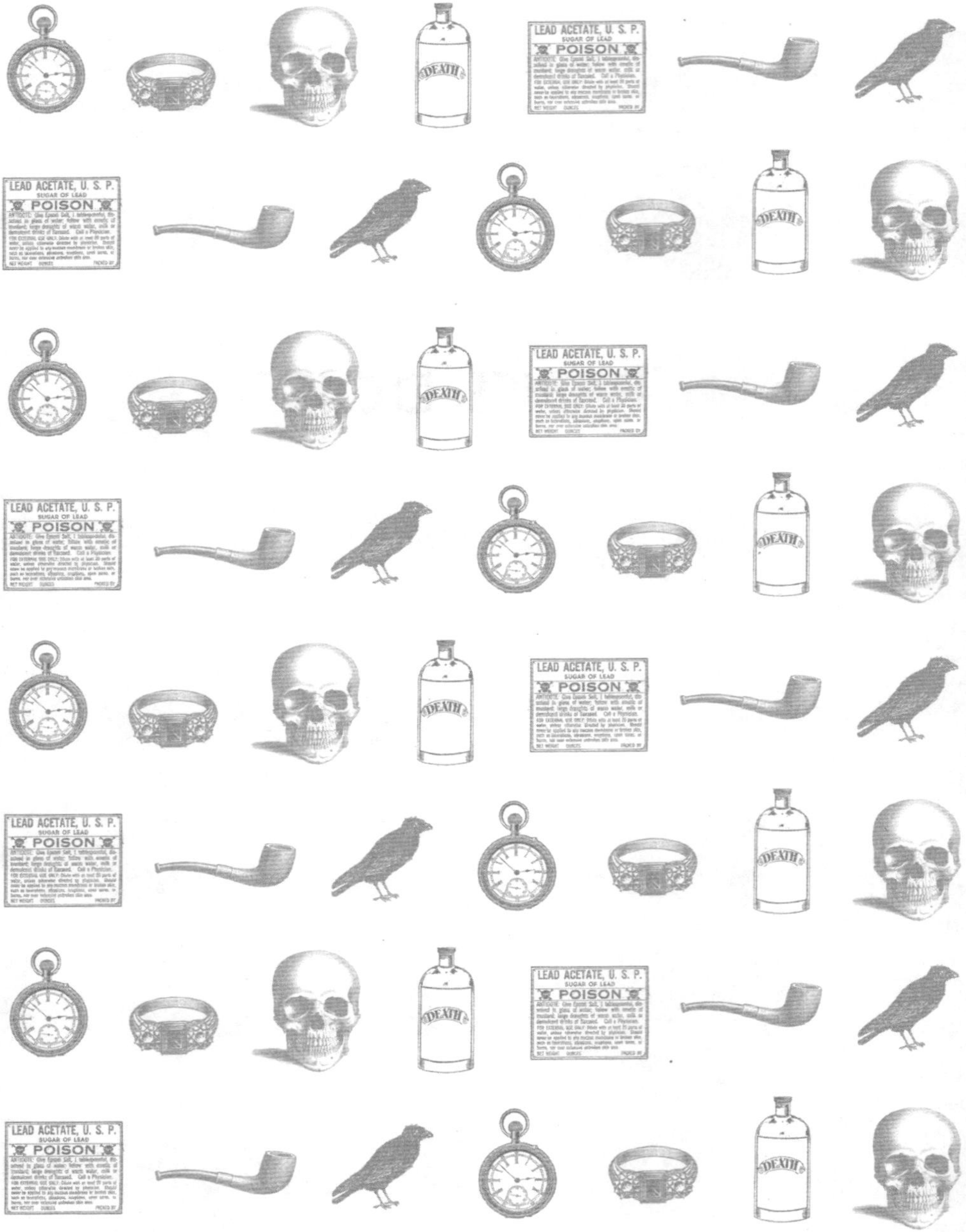
LEAD ACETATE, U. S. P.
SUGAR OF LEAD
POISON
DEATH

oito
NA GRANDE PLANÍCIE ALCALINA

Na parte central do grande continente norte-americano, há um deserto árido e repulsivo, que por longos anos serviu como barreira para o avanço da civilização. Indo da Sierra Nevada ao Nebraska, e do rio Yellowstone, ao norte, até o Colorado, ao sul, é uma região de desolação e silêncio. Tampouco a natureza tem sempre o mesmo humor por toda essa área sombria. Ela inclui montanhas nevadas e altas, bem como vales escuros e melancólicos. Nela há rios velozes que correm dentro de cânions irregulares; e planícies enormes, que no inverno ficam brancas com a neve, e no verão, cinzentas, com um pó alcalino e salgado. Todas conservam, no entanto, as características comuns da esterilidade, da inospitalidade e da miséria.

Não há habitantes nessa terra do desespero. Um bando de índios *pawnees* ou *blackfeet* pode atravessá-la ocasionalmente para alcançar outras zonas de caça, mas os bravos mais tenazes ficam felizes ao perder de vista essas planícies assombrosas, e mais uma vez se encontrarem em suas pradarias. O coiote se esgueira em meio aos arbustos, o abutre esvoaça pesadamente no ar e o desajeitado urso-pardo se arrasta pelas ravinas escuras, alimentando-se do que encontra entre as rochas. Esses são os únicos residentes desse deserto.

No mundo inteiro, não pode haver um panorama mais medonho do que aquele que se vê da encosta norte de Sierra Blanco. Até onde a vista alcança, a grande planície se estende, toda pontilhada por manchas de poeira alcalina e recortada por chumaços de arbustos anões do chaparral. No extremo limite do horizonte jaz uma longa cordilheira de picos montanhosos, com seus topos irregulares recobertos de neve. Nessa grande extensão de terra, não há sinal de vida, nem de nada que diga respeito à vida. Não há aves no céu azul metálico, nem movimento sobre a terra monótona e cinzenta — acima de tudo, reina um silêncio absoluto. Por mais que se agucem os ouvidos, não há nem sinal de um som por todo esse imenso deserto; nada além de silêncio — silêncio completo e desencorajador.

Dissemos que não há nada que diga respeito à vida na vasta planície. Isso não é verdade. Olhando do alto de Sierra Blanco, vê-se uma trilha que cruza o deserto, serpenteando para longe e se perdendo na extrema distância. Ela é sulcada por rodas e pisoteada pelos pés de muitos aventureiros. Aqui e ali, objetos brancos que brilham ao sol estão espalhados e se destacam sobre o sedimento opaco de poeira alcalina. Aproxime-se e examine-os! São ossos: alguns grandes e ásperos, outros menores e mais delicados. Os primeiros pertenciam a bovinos e os últimos, a homens. Por quase 2.500 quilômetros, pode-se delinear a rota dessa caravana macabra graças aos restos espalhados daqueles que ficaram pelo caminho.

Olhando esse mesmo cenário do alto, lá estava, no dia 4 de maio de 1847, um viajante solitário. Sua aparência era tal que ele poderia ser o próprio gênio ou demônio da região. Um observador teria dificuldade em dizer se o homem beirava mais os quarenta ou os sessenta anos. Seu rosto era magro e esgotado, e a pele escura e pergaminhosa estava retesada sobre ossos saltados; o cabelo e a barba longos e castanhos, salpicados de branco; seus olhos, afundados nas órbitas, ardiam com um brilho selvagem, enquanto a mão que segurava o rifle era pouco mais carnuda que a de um esqueleto. De pé, se apoiava em sua arma, mas sua silhueta alta e compleição robusta sugeriam um físico enxuto e vigoroso. Seu rosto ossudo, porém, e as roupas, que pendiam tão largas dos membros encarquilhados, proclamavam o que lhe conferia aquela aparência senil e decrépita. O homem estava morrendo — morrendo de fome e de sede.

Ele descera dolorosamente pela ravina e escalara a pequena elevação na vã esperança de avistar algum sinal de água. Agora, a grande planície salina se estendia diante de seus olhos até o anel distante de montanhas selvagens, sem sinal algum, em qualquer lugar, de plantas ou árvores que pudessem indicar a presença de umidade. Em toda aquela vasta paisagem, não havia um único raio de esperança. Para o norte, o leste e o oeste ele virava seu olhar tresloucado e inquisidor, até que se deu conta de que sua jornada havia chegado ao fim, e que ali, naquele penhasco estéril, ele iria morrer.

— Por que não aqui, se não num colchão de plumas, daqui a vinte anos — resmungou, sentando-se sob o abrigo de uma rocha.

Antes de se sentar, ele havia depositado no chão seu rifle inútil e também um grande embrulho envolto num xale cinza, que ele carregava jogado por cima do ombro direito. Parecia ser um tanto pesado demais para suas forças, porque, ao baixá-lo, deixou-o cair com certa violência. Instantaneamente, um gemido partiu do embrulho cinza, e dele saíram um rostinho assustado, com olhos castanhos muito brilhantes, e dois pequenos punhos cheios de sardas.

— Você me machucou! — disse uma voz de criança, em tom de reprimenda.

— Machuquei, é? — o homem respondeu, com voz penitente. — Foi sem querer. — Enquanto falava, ele abriu o xale cinza e tirou dele uma linda garotinha de uns cinco anos de idade, cujos sapatos delicados e elegante vestido cor-de-rosa com aventalzinho de linho revelavam cuidados de mãe. A criança estava pálida e abatida, mas seus braços e suas pernas saudáveis indicavam que ela sofrera menos do que seu companheiro.

— Como você está? — o homem perguntou ansiosamente,

já que ela continuava esfregando os cachos dourados que cobriam sua nuca.

— Beije para sarar — ela disse, com total seriedade, mostrando-lhe o lugar machucado. — Era assim que a mamãe fazia. Onde está a mamãe?

— A mamãe se foi. Acho que você vai vê-la em breve.

— Se foi, é? — disse a garotinha. — Engraçado, ela não se despediu; quase sempre se despede, até quando vai tomar chá na casa da titia, e agora já se foi há três dias. Está muito seco aqui, não? Não tem água ou alguma coisa para comer?

— Não, não temos nada, querida. Você vai precisar ter um pouco de paciência, e logo vai ficar bem. Encoste a cabeça em mim, assim, e vai ficar ótima. Não é fácil falar com os lábios tão secos, mas acho melhor pôr as cartas na mesa para você. O que tem aí?

— Coisas lindas! Maravilhosas! — gritou a garotinha, empolgada, segurando dois fragmentos brilhantes de mica. — Quando voltarmos para casa, vou dá-los para meu irmão Bob.

— Logo você verá coisas ainda mais lindas — disse o homem, em tom confiante. — É só esperar um pouco. Mas eu ia dizendo, lembra quando saímos de perto do rio?

— Ah, sim.

— Bem, achei que iríamos encontrar outro rio logo, entende? Mas algo deu errado, a bússola, o mapa, alguma coisa, e o rio não apareceu. Nossa água acabou. Só sobrou um gole para você e... e...

— E você não conseguiu se lavar — sua companheirinha interrompeu gravemente, olhando para seu rosto sujo.

— Não, nem beber. E o Sr. Bender foi o primeiro a ir embora, depois o índio Pete, depois a Sra. McGregor, depois Johnny Hones, e então, querida, sua mãe.

— Então a mamãe morreu também — gritou a garotinha, afundando o rosto no avental e soluçando amargamente.

— Sim, todos morreram, menos eu e você. Mas pensei que houvesse alguma probabilidade de encontrar água nesta direção, por isso pus você no ombro e viemos para cá. Parece que nossa situação não melhorou. Nossas chances são bem pequenas, agora!

— Quer dizer que vamos morrer também? — perguntou a criança, contendo os soluços e erguendo o rostinho úmido de lágrimas.

— Acho que é isso.

— Por que não me disse antes? — ela exclamou, rindo alegremente. — Me deixou tão apavorada. Ora, se vamos morrer, vamos para perto da mamãe.

— Sim, você irá, querida.

— E você também. Vou contar para ela o quanto você foi bonzinho. Aposto que ela vai nos encontrar na porta do céu com um jarrão de água e um monte de bolinhos de trigo, quentinhos e assados dos dois lados, como Bob e eu gostamos. Quanto tempo vai levar?

— Não sei, não vai demorar muito. — Os olhos do homem

estavam pregados no horizonte ao norte. Na abóbada celeste, apareceram três pontinhos que aumentavam de tamanho a olhos vistos, de tão rapidamente que se aproximavam. Logo assumiram os contornos de três grandes pássaros marrons, que circulavam sobre a cabeça dos dois andarilhos e em seguida pousaram sobre algumas rochas acima deles. Eram bútios, os urubus do Oeste, cuja chegada é a precursora da morte.

— Galos e galinhas — gritou a garotinha alegremente, apontando para suas silhuetas agourentas, e batendo palmas para que voassem. — Diga, foi Deus que fez esta terra?

— Claro que foi Ele — disse seu companheiro, um tanto perplexo com essa pergunta inesperada.

— Ele fez a terra lá em Illinois, e fez o Missouri — a garotinha continuou. — Mas acho que quem fez esta parte aqui foi outro. Não está tão bem-feita. Esqueceram a água e as árvores.

— O que você acha de dizermos umas preces? — o homem perguntou, desconfiado.

— Ainda não é de noite — ela respondeu.

— Não importa. Isso não é muito regulamentar, mas Ele não vai achar ruim, pode apostar. Repita aquelas que você fazia toda noite na carroça, quando estávamos nas planícies.

— Por que você também não reza? — a criança perguntou, com olhar interrogativo.

— Esqueci as palavras — ele respondeu. — Não rezo desde que eu tinha metade da altura deste rifle. Acho que nunca é tarde demais. Diga a prece, que eu acompanho e repito os refrães.

— Então precisa se ajoelhar, e eu também — ela disse, abrindo o xale para esse fim. — Precisa levantar as mãos assim. Faz você se sentir meio bonzinho.

Seria um espetáculo estranho, se mais alguém além dos abutres estivesse ali para presenciá-lo. Lado a lado sobre o xale estreito, os dois andarilhos se ajoelharam, a criancinha tagarela e o aventureiro destemido e calejado. Tanto o rosto rechonchudo da primeira quanto o semblante desnutrido e anguloso deste último estavam voltados para os céus sem nuvens, numa súplica sincera para aquele temido Ser com o qual se encontravam cara a cara, enquanto as duas vozes — uma fina e clara, a outra grave e rouca — se uniam na súplica por misericórdia e perdão. Depois de concluir as preces, voltaram a se sentar à sombra do rochedo, até que a criança adormeceu, aninhada no peito largo do seu protetor. Este velou seu sono por algum tempo, mas a natureza provou ser forte demais para ele. Por três dias e três noites, o viajante não se permitira parada ou descanso. Aos poucos, suas pálpebras baixaram sobre os olhos cansados e a cabeça pendeu cada vez mais baixa sobre o peito, até que a barba grisalha do homem se misturou aos cachos dourados de sua companheirinha, e ambos caíram no mesmo sono profundo e sem sonhos.

Se o andarilho tivesse ficado acordado por mais meia hora, uma visão estranha brindaria seus olhos. Ao longe, na borda mais distante da planície alcalina, erguia-se um pequeno penacho de poeira, bem sutil de início, e difícil de distinguir da névoa a distância, mas gradualmente se tornando mais alto e mais largo, até formar uma nuvem inteiriça e bem definida. Essa nuvem continuou a aumentar de tamanho, até que ficou evidente que só poderia ser provocada por uma grande multidão de criaturas em movimento. Em lugares mais férteis, o observador teria chegado à conclusão de que uma das grandes manadas de bisões que pastam nas pradarias estava se aproximando. Isso era obviamente impossível naquela desolação árida. À medida que o vórtice de poeira se aproximava do rochedo solitário sobre o qual os dois perdidos estavam descansando, as coberturas de lona de carroças e silhuetas de homens armados a cavalo começaram a despontar em meio ao nevoeiro, e a aparição se revelou como uma grande caravana a caminho do Oeste. Mas que caravana! Quando as primeiras carroças alcançaram o sopé das montanhas, a retaguarda ainda não era visível no horizonte. Por toda a imensa planície se estendia a fila irregular, carroças e carros, homens a cavalo e homens a pé. Inúmeras mulheres cambaleavam carregando fardos, e crianças andavam ao lado dos vagões ou surgiam de debaixo das lonas brancas. Evidentemente, não era um grupo normal de imigrantes, mas sim algum povo nômade que fora compelido, pela pressão das circunstâncias, a procurar terras novas. Subiam pelo ar limpo os ruídos e estrondos daquela grande massa humana, junto com o ranger de rodas e o relinchar dos cavalos. Mesmo tão barulhenta, não era suficiente para despertar os dois exaustos viajantes acima dela.

Encabeçando a coluna, cavalgavam vinte ou mais homens sérios, de rostos férreos, vestindo trajes soturnos, tecidos à mão, e armados com rifles. Ao chegar à base do penhasco, eles pararam e se reuniram para uma breve deliberação.

— Os poços ficam à direita, meus irmãos — disse um deles, um homem de lábios duros, barba bem-feita e cabelo grisalho.

— À direita de Sierra Blanco — assim, vamos chegar ao Rio Grande — disse outro.

— Não se preocupem com a água — disse um terceiro. — Aquele que pôde fazê-la jorrar das pedras não abandonará Seus escolhidos.

— Amém! Amém! — respondeu o grupo todo.

Estavam para continuar a jornada, quando um dos mais jovens e de olhar mais aguçado, com uma exclamação, apontou para o alto, para o rochedo acima deles. De seu topo flutuava um pontinho cor-de-rosa, em forte contraste com a rocha cinza por trás. Ao avistá-lo, cavalos foram freados e armas, sacadas, enquanto novos cavaleiros chegaram galopando para reforçar a vanguarda. A palavra "peles-vermelhas" saía de todas as bocas.

— Não pode haver índios aqui — disse o mais velho, que parecia no comando. — Já passamos pelos *pawnees*, e não há nenhuma outra tribo até cruzarmos as grandes montanhas.

— Devo me adiantar e verificar, Irmão Stangerson? — perguntou um integrante do grupo.

— E eu. E eu — gritou mais uma dúzia de vozes.

— Deixem os cavalos aqui embaixo, vamos esperar por

vocês — o mais velho respondeu. Num momento, os jovens haviam apeado, amarrado os cavalos e estavam escalando a íngreme encosta que levava ao objeto que despertara sua curiosidade. Eles avançavam rápida e silenciosamente, com a confiança e a destreza de batedores experientes. Os que observavam da planície abaixo podiam vê-los saltar de rochedo em rochedo, até que suas silhuetas se destacaram contra o céu. O jovem que primeiro dera o alarme estava na dianteira. De repente, seus seguidores o viram erguer as mãos, como se estivesse assombrado e, ao se aproximarem, foram afetados da mesma forma pelo que viram.

No pequeno platô que coroava a colina deserta, erguia-se um rochedo gigante e solitário, e apoiado a esse rochedo jazia um homem alto, de barba comprida e traços duros, mas exageradamente magro. Seu rosto plácido e a respiração regular mostravam que ele estava profundamente adormecido. Ao seu lado jazia uma criança, com os braços roliços ao redor do seu pescoço escuro e musculoso, e a cabeça loura descansando no peito de seu colete de veludo. Seus lábios rosados estavam entreabertos, revelando a linha regular de dentes brancos como neve, e um tênue sorriso brincava em seu semblante infantil. Suas perninhas pálidas e rechonchudas, as meias brancas e os sapatos limpos com fivelas brilhantes produziam um estranho contraste ao lado dos membros longos e engelhados do seu companheiro. Na laje de pedra acima desse estranho casal estavam três solenes urubus, os quais, ao avistar os recém-chegados, emitiram roucos gritos de decepção e esvoaçaram morosamente para longe.

Os gritos das aves pestilentas acordaram os dois viajantes, que olharam ao redor, espantados. O homem se levantou, trôpego, e olhou para a planície, tão desolada quanto na ocasião em que o sono o vencera, e agora tomada por aquele enorme mar de homens e animais. Seu rosto assumiu uma expressão de incredulidade ao ver aquilo, e ele passou a mão ossuda sobre os olhos.

— Acho que é isso que chamam de delírio — resmungou. A criança se levantou ao lado dele, segurando a fralda do casaco do homem, e não disse nada, mas olhou ao redor com o olhar maravilhado e inquisidor da infância.

O grupo de resgate conseguiu convencer rapidamente os dois perdidos de que sua chegada não era uma ilusão. Um deles pegou a garotinha e a sentou sobre o ombro, enquanto dois outros sustentavam seu magro companheiro e o ajudavam na volta para as carroças.

— Meu nome é John Ferrier — o andarilho explicou —; eu e aquela pequenina somos tudo o que sobrou de 21 pessoas. O resto morreu de sede e fome lá no sul.

— Ela é sua filha? — alguém perguntou.

— Acho que agora é — o outro exclamou, com tom desafiador —; é minha porque a salvei. Ninguém vai tomá-la de mim. Ela é Lucy Ferrier, de hoje em diante. Mas quem são vocês? — ele continuou, olhando com curiosidade para seus robustos e bronzeados salvadores. — Parece que são uma multidão.

— Perto de 10 mil — disse um dos jovens —; somos os filhos perseguidos de Deus — os escolhidos do Anjo Merona.

— Nunca ouvi falar — disse o andarilho. — Pelo jeito, ele escolheu muita gente.

— Não zombe do que é sagrado — disse o outro severamente. — Somos aqueles que acreditam nas escrituras sagradas, desenhadas em hieróglifos em placas de ouro batido, que foram entregues ao santo Joseph Smith em Palmyra. Viemos de Nauvoo, no estado de Illinois, onde havíamos fundado nosso templo. Viemos procurar refúgio dos homens violentos e sacrílegos, ainda que no coração do deserto.

O nome de Nauvoo evidentemente trouxe lembranças para John Ferrier.

— Entendo — ele disse —; vocês são os mórmons.

— Nós somos os mórmons — responderam seus companheiros em uma só voz.

— E para onde estão indo?

— Não sabemos. A mão de Deus está nos guiando, na pessoa do nosso Profeta. Você precisa falar com ele. Ele dirá o que deve ser feito com você.

Eles haviam chegado à base da colina, a essa altura, e estavam rodeados por uma multidão de peregrinos — mulheres tímidas e pálidas; crianças fortes, risonhas; e homens ansiosos, de olhar sincero. Muitas foram as exclamações de assombro e comiseração que se ouviram entre eles quando perceberam a pouca idade da menina e a miséria do homem. Mas a escolta não parou, continuou andando, seguida por uma imensa multidão de mórmons, até chegar a uma carroça que chamava a atenção pelo tamanho e pelo espalhafato e elegância de sua aparência. Seis cavalos estavam atrelados a ela, enquanto as outras tinham apenas dois, ou no máximo quatro. Ao lado do cocheiro sentava-se um homem que não devia ter mais do que trinta anos de idade, mas cuja cabeça enorme e expressão resoluta o indicavam como um líder. Ele estava lendo um volume de capa marrom, mas, quando a multidão se aproximou, deixou-o de lado e ouviu com atenção um relato do episódio. Então ele se virou para os dois perdidos.

— Se levarmos vocês conosco — ele disse, em palavras solenes —, só poderá ser como seguidores da nossa crença. Não admitiremos lobos em nosso rebanho. Muito melhor que seus ossos calcinem neste deserto do que permitir que vocês se revelem aquele minúsculo foco de podridão que, com o tempo, corrompe toda a fruta. Aceitam seguir conosco sob essas condições?

— Acho que seguirei vocês sob quaisquer condições — disse Ferrier, com tanta ênfase que os graves anciões não conseguiram esconder um sorriso. Só o líder manteve sua expressão dura e impressionante.

— Leve-o, Irmão Stangerson — ele disse —, dê-lhe de comer e beber, e também à criança. Será sua tarefa, também, ensinar-lhes nossa sagrada crença. Já nos demoramos demais. Em marcha! Avante, avante para Sião!

— Avante, avante para Sião! — gritou a multidão de

mórmons, e as palavras se espalharam pela longa caravana, passando de boca em boca até se perderem num murmúrio abafado na distância. Com o estalar de chicotes e o ranger de rodas, as grandes carroças entraram em movimento, e logo a caravana toda estava andando mais uma vez. O ancião a cujos cuidados os dois flagelados haviam sido entregues os levou para sua carroça, onde uma refeição já os esperava.

— Vocês ficarão aqui — ele disse. — Daqui a uns dias, estarão recuperados de sua exaustão. Enquanto isso, lembrem que fazem parte da nossa religião para sempre. Brigham Young falou, e falou com a voz de Joseph Smith, que é a voz de Deus.

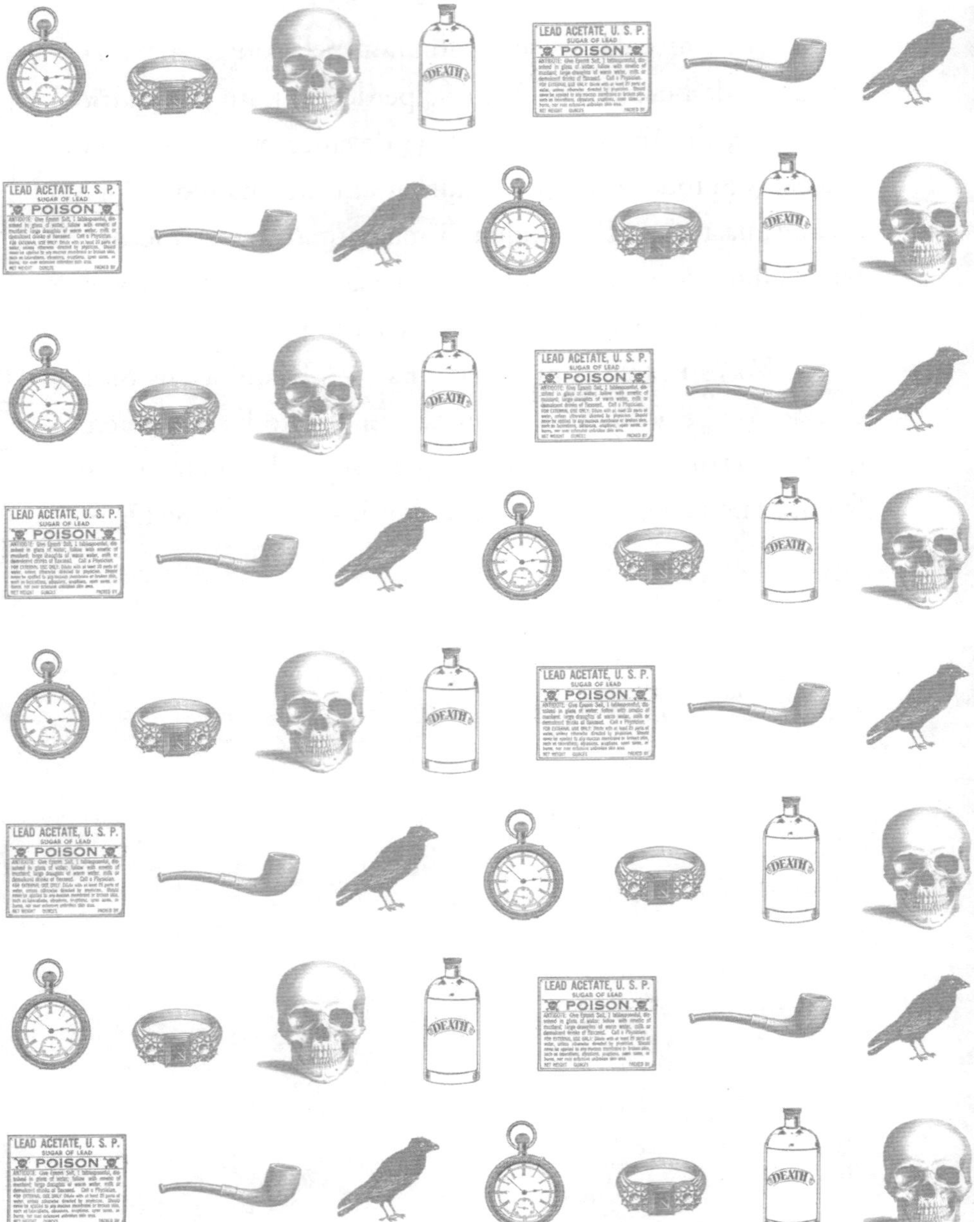
LEAD ACETATE, U. S. P.
SUGAR OF LEAD
POISON
DEATH

nove
A FLOR DE UTAH

Este não é o lugar adequado para celebrar os percalços e as privações enfrentados pelos imigrantes mórmons antes de chegarem ao seu destino final. Dos portos do Mississippi às encostas ocidentais das Montanhas Rochosas, eles lutaram com uma constância quase sem paralelos na História. Selvagens humanos e animais, fome, sede, cansaço e doenças — todo empecilho que a natureza podia colocar no caminho — foram todos superados com tenacidade anglo-saxônica. No entanto, a longa jornada e os terrores acumulados haviam abalado até os corações dos mais fortes entre eles. Não houve nenhum que não caísse de joelhos em sincera prece quando avistaram a seus pés o amplo vale de Utah, banhado pela luz do sol, e ouviram dos lábios do seu líder que aquela era a terra prometida, e que aqueles hectares virgens seriam deles para sempre.

Young prontamente provou ser um administrador habilidoso, bem como um chefe resoluto. Mapas foram desenhados e plantas, preparadas, nas quais a futura cidade foi delineada. Fazendas foram distribuídas para todos e dimensionadas em proporção à posição de cada indivíduo. O comerciante foi designado para o seu comércio e o artesão, para a sua arte. Na cidade, ruas e praças brotaram como que por passe de mágica. No campo, terras eram drenadas e cercadas, plantadas e desmatadas, até que o verão seguinte viu todo o campo dourado pela plantação de trigo. Tudo prosperava na estranha colônia. Acima de tudo, o grande templo que eles construíam no centro da cidade ficava cada vez mais alto e maior. Dos primeiros raios da madrugada até o fim do crepúsculo, o bater do martelo e o raspar do serrote nunca se calavam no monumento que os imigrantes erguiam Àquele que os conduzira em segurança através de tantos perigos.

Os dois perdidos, John Ferrier e a garotinha que compartilhara seu destino e fora adotada como sua filha, acompanharam os mórmons até o fim de sua grande peregrinação. A pequena Lucy Ferrier ficara agradavelmente acomodada na carroça de Elder* Stangerson, abrigo que ela dividia com as três esposas do mórmon e seu filho, um menino voluntarioso e ousado de doze anos. Depois de se recobrar, com a flexibilidade da infância, do choque causado pela morte da mãe, ela logo se

---

*"Ancião" em inglês. Título conferido entre os mórmons aos sacerdotes mais graduados. (N. T.)

tornou a queridinha do mulherio, e se adaptou àquela nova vida em seu lar móvel sob a cobertura de lona. Enquanto isso, Ferrier, depois de se recuperar das privações, ganhava destaque como guia prestativo e caçador incansável. Tão rapidamente ele conquistou a estima de seus novos companheiros que, quando chegaram ao final da jornada, ficou unanimemente decidido que ele deveria receber um lote de terra tão extenso e fértil quanto o de qualquer outro colono, com a exceção do próprio Young e de Stangerson, Kemball, Johnston e Drebber, que eram os quatro principais Elders.

Na fazenda assim adquirida, John Ferrier construiu uma bela casa de troncos, que recebeu tantos anexos nos anos seguintes que acabou se tornando uma espaçosa mansão. Ele era um homem de mente muito prática, astuto nas negociações e habilidoso com as mãos. Sua compleição férrea lhe permitia trabalhar de sol a sol, melhorando e cuidando de suas terras. Disso resultou que sua fazenda e tudo que lhe pertencia prosperavam imensamente. Em três anos, ele estava melhor de vida que seus vizinhos, em seis estava abastado, em nove estava rico, e em doze, não havia mais do que meia dúzia de homens em toda Salt Lake City que pudessem se comparar com ele. Do grande mar interior até as distantes Montanhas Wahsatch, não havia nome mais conhecido que o de John Ferrier.

Havia um aspecto, e somente um, no qual ele ofendia as suscetibilidades de seus correligionários. Nenhum argumento ou persuasão conseguia induzi-lo a formar um séquito feminino, à maneira de seus companheiros. Ele nunca apresentava os motivos para essa recusa persistente, mas se contentava em aderir resoluta e inflexivelmente à sua determinação. Alguns o acusavam de ser morno em relação à sua religião adotiva, e outros atribuíam isso à ganância e à relutância em aumentar as despesas. Outros ainda falavam de algum caso amoroso antigo, e de uma garota loura que definhava na costa do Atlântico. Fosse qual fosse o motivo, Ferrier se mantinha estritamente celibatário. Sob todos os outros aspectos, obedecia à religião da jovem colônia, e conquistou a fama de homem ortodoxo e direito.

Lucy Ferrier cresceu dentro da casa de troncos, e assistia seu pai adotivo em todas as suas tarefas. O ar fresco das montanhas e o aroma balsâmico dos pinheiros assumiram o papel de babá e mãe da jovenzinha. Ano após ano, ela ficava mais alta e mais forte, de bochechas mais rosadas e passos mais elásticos. Muitos viajantes pela estrada que passava ao lado da fazenda de Ferrier sentiam pensamentos havia muito esquecidos reviverem em suas mentes quando observavam a silhueta esbelta e jovial da mocinha saltitando em meio às plantações de trigo, ou a encontravam montada no mustangue do pai, conduzindo-o com toda a prática e graça de uma verdadeira filha do Oeste. Assim, o botão desabrochou em flor, e o ano que viu seu pai se tornar o mais rico dos fazendeiros a encontrou como o mais belo espécime de jovem americana que podia ser encontrado em toda a costa do Pacífico.

Não foi seu pai, no entanto, quem primeiro descobriu que a criança havia se tornado uma mulher. Raramente é ele, nesses casos. Essa mudança misteriosa é sutil e gradual demais para ser mensurada por datas. Menos ainda sabe disso a própria donzela, até que o tom de uma voz ou o toque de uma mão faça seu coração estremecer, e a moça aprenda, com um misto de orgulho e medo, que uma natureza nova e maior despertou dentro dela. Poucas não se lembram desse dia e do pequeno incidente que anunciou a aurora de uma nova vida. No caso de Lucy Ferrier, a ocasião por si só era bastante séria, mesmo sem levar em conta a futura influência no destino dela e no de muitos outros.

Era uma manhã morna de junho, e os Santos dos Últimos Dias estavam tão ocupados quanto as abelhas cuja colmeia adotaram como emblema. Dos campos e das ruas se elevava o mesmo zumbido da industriosidade humana. Longas filas de mulas carregando pesados fardos desfilavam pelas estradas poeirentas, todas a caminho do Oeste, pois a febre do ouro irrompera na Califórnia, e a rota por terra cortava a cidade dos Eleitos. Ali, também, chegavam rebanhos de ovelhas e bois das pastagens ao redor, e filas de imigrantes cansados, homens e cavalos igualmente esgotados por sua jornada interminável. Através de toda essa multidão heterogênea, abrindo caminho com a habilidade de uma amazona completa, galopava Lucy Ferrier, com o rosto afogueado pelo exercício e o longo cabelo castanho esvoaçando atrás de si. Ela recebera um empenho do pai para fazer na cidade, e desabalava, como já fizera muitas vezes, com todo o destemor da juventude, pensando somente em sua tarefa e em como realizá-la. Os aventureiros empoeirados a admiravam, estarrecidos, e até os frios índios, carregando suas peles, relaxavam seu costumeiro estoicismo para maravilhar-se com a beleza da donzela de rosto pálido.

Ela chegara aos confins da cidade quando descobriu a estrada impedida por uma enorme manada de gado, tangida por meia dúzia de boiadeiros das planícies, de aparência rude. Em sua impaciência, conseguiu penetrar o obstáculo forçando seu cavalo no que parecia ser uma passagem. Mal entrara naquele espaço, no entanto, quando os animais se aproximaram por trás, e ela se viu completamente mergulhada na massa móvel de bois com longos chifres e olhar feroz. Acostumada como estava a lidar com gado, não ficou alarmada com a situação, mas se valia de toda oportunidade para esporear seu cavalo, na esperança de conseguir atravessar a manada. Infelizmente, os chifres de uma das bestas, acidentalmente ou não, atingiram com violência o flanco do mustangue e o levaram à loucura. Num instante, ele empinou nas patas traseiras com um rosnado de fúria e saltou e arremeteu de uma forma que teria derrubado qualquer cavaleiro menos hábil. A situação era muito perigosa. Cada salto do cavalo exaltado o jogava novamente contra os chifres e agravava a sua loucura. A garota mal conseguia se manter sobre a sela, mas qualquer escorregão significaria uma morte terrível sob os cascos dos volumosos e apavorados animais. Desacostumada a tais emergências, sua cabeça começou a rodar e ela foi soltando as rédeas. Sufocada pela nuvem de poeira e pelo calor que emanava das criaturas agitadas, ela teria desistido de seus esforços, em desespero, se não fosse por uma voz gentil ao seu lado, que lhe garantiu ajuda. Na mesma hora, uma mão escura e forte segurou o cavalo assustado pelo freio, e forçando a passagem pela manada, logo conduziu a jovem para fora dela.

— Espero que a senhorita não tenha se machucado — disse seu salvador, respeitosamente.

Ela ergueu o olhar para seu rosto escuro e feroz e riu saborosamente.

— Estou bastante assustada — disse ingenuamente —; quem poderia imaginar que Poncho iria ficar com tanto medo de umas vacas?

— Graças a Deus conseguiu se manter na sela — disse o outro, sem rodeios. Era um jovem alto e de aspecto selvagem, montado num poderoso cavalo ruão, e usando trajes ásperos de caçador, com um longo rifle jogado sobre o ombro. — Acho que a senhorita é a filha de John Ferrier — ele comentou —; vi quando saiu da casa dele. Quando o vir, pergunte se ele se lembra dos Jefferson Hope de St. Louis. Se for o mesmo Ferrier, meu pai e ele eram muito amigos.

— Não é melhor o senhor mesmo perguntar? — ela sugeriu timidamente.

O jovem pareceu gostar da ideia, e seus olhos escuros brilharam de prazer.

— Farei isso — disse —; estamos andando pelas montanhas há dois meses, e não estou muito apresentável para visitas. Terá que me aceitar nestas condições.

— Ele tem muito a lhe agradecer, e eu também — a jovem respondeu —; ele me ama muito. Se aquelas vacas tivessem pulado em cima de mim, ele nunca mais teria paz.

— Nem eu — disse o rapaz.

— O senhor! Ora, não vejo como isso faria diferença para o senhor. Nem é amigo nosso.

O rosto escuro do jovem caçador ficou tão tristonho com esse comentário que Lucy Ferrier riu alto.

— Ora, eu não quis dizer isso — ela emendou —; claro que é nosso amigo agora. Precisa vir nos visitar. Agora devo ir andando, senão papai nunca mais vai me confiar seus negócios. Adeus!

— Adeus — ele respondeu, erguendo seu grande sombrero e se curvando sobre a mãozinha dela. A jovem virou seu mustangue, deu-lhe um pequeno golpe com o chicotinho e saiu galopando pela estrada larga numa nuvem de poeira.

O jovem Jefferson Hope seguiu cavalgando com seus companheiros, triste e taciturno. Eles estavam vagando pelas Montanhas Nevadas em busca de prata, e voltavam a Salt Lake City na esperança de levantar capital suficiente para explorar alguns veios que haviam descoberto. Ele estava tão concentrado quanto os outros nessa ocupação, até que esse incidente repentino desviara seus pensamentos para outro canal. A visão da bela jovem, tão franca e saudável quanto as brisas da Sierra, abalara seu vulcânico e indomado coração até o âmago. Quando ela sumira de vista, ele percebera que uma crise havia surgido em sua vida, e que nem a prospecção de prata, nem qualquer outra questão jamais poderia ter tanta importância, para ele, quanto esta, que o absorvia completamente. O amor que brotara em seu coração não era o capricho repentino e mutável de um garoto, e sim a paixão selvagem e feroz de um homem de vontade forte e temperamento imperioso. Ele estava acostumado a lograr êxito em tudo aquilo em que se empenhava. Jurou em seu coração que não falharia nisso, se o esforço e a perseverança humana pudessem garantir seu sucesso.

Ele visitou John Ferrier naquela noite, e muitas outras vezes, até que seu rosto se tornou familiar na mansão da fazenda. John, confinado ao vale e absorto em seu trabalho, tivera poucas oportunidades de receber notícias do mundo exterior nos últimos doze anos. Tudo isso Jefferson Hope conseguia lhe contar, e num estilo que interessava tanto a Lucy quanto ao pai dela. Ele fora um pioneiro na Califórnia, e podia narrar muitas histórias estranhas de fortunas conquistadas e perdidas naqueles dias selvagens e prósperos. Fora batedor também, caçara com armadilhas, procurara prata e trabalhara em ranchos. Onde quer que houvesse aventuras instigantes, Jefferson Hope estivera em busca delas. Ele logo se tornou um dos favoritos do velho fazendeiro, que descrevia eloquentemente suas virtudes. Nessas ocasiões, Lucy ficava em silêncio, mas o rubor de suas faces e seus olhos brilhantes e felizes demonstravam claramente que seu jovem coração já não lhe pertencia. Seu honesto pai talvez não notasse esses sintomas, mas eles certamente não passavam despercebidos pelo homem que conquistara o seu afeto.

Numa tarde de verão, ele veio galopando pela estrada e parou no portão. Ela estava à porta e desceu para encontrá-lo. Ele jogou a rédea por cima da cerca e subiu pelo caminho.

— Vou partir, Lucy — disse, tomando as mãos dela nas suas e olhando ternamente para o seu rosto —; não pedirei que vá comigo agora, mas estará pronta para me acompanhar quando eu voltar?

— E quando será isso? — ela perguntou, corando e rindo.

— Daqui a uns dois meses, no mais tardar. Virei e pedirei sua mão então, querida. Ninguém poderá ficar entre nós.

— E papai? — ela perguntou.

— Ele consentiu, contanto que façamos aquelas minas funcionarem. Quanto a isso, não tenho o que temer.

— Bem, claro, se você e papai já decidiram tudo, não há mais nada a ser dito — ela murmurou, com o rosto encostado no peito largo do rapaz.

— Graças a Deus! — ele disse roucamente, inclinando-se e beijando-a. — Está decidido, então. Quanto mais tempo eu ficar, mais difícil será partir. Estão me esperando no cânion. Adeus, minha querida, adeus. Daqui a dois meses nos veremos.

Ele se desvencilhou dela enquanto falava, e, saltando sobre o cavalo, galopou furiosamente para longe, sem olhar para trás, como se temesse que sua resolução fosse fraquejar caso lançasse um só olhar para o que estava deixando. Ela ficou junto ao portão, olhando-o até que sumisse de vista. Então voltou para dentro da casa, a garota mais feliz de todo Utah.

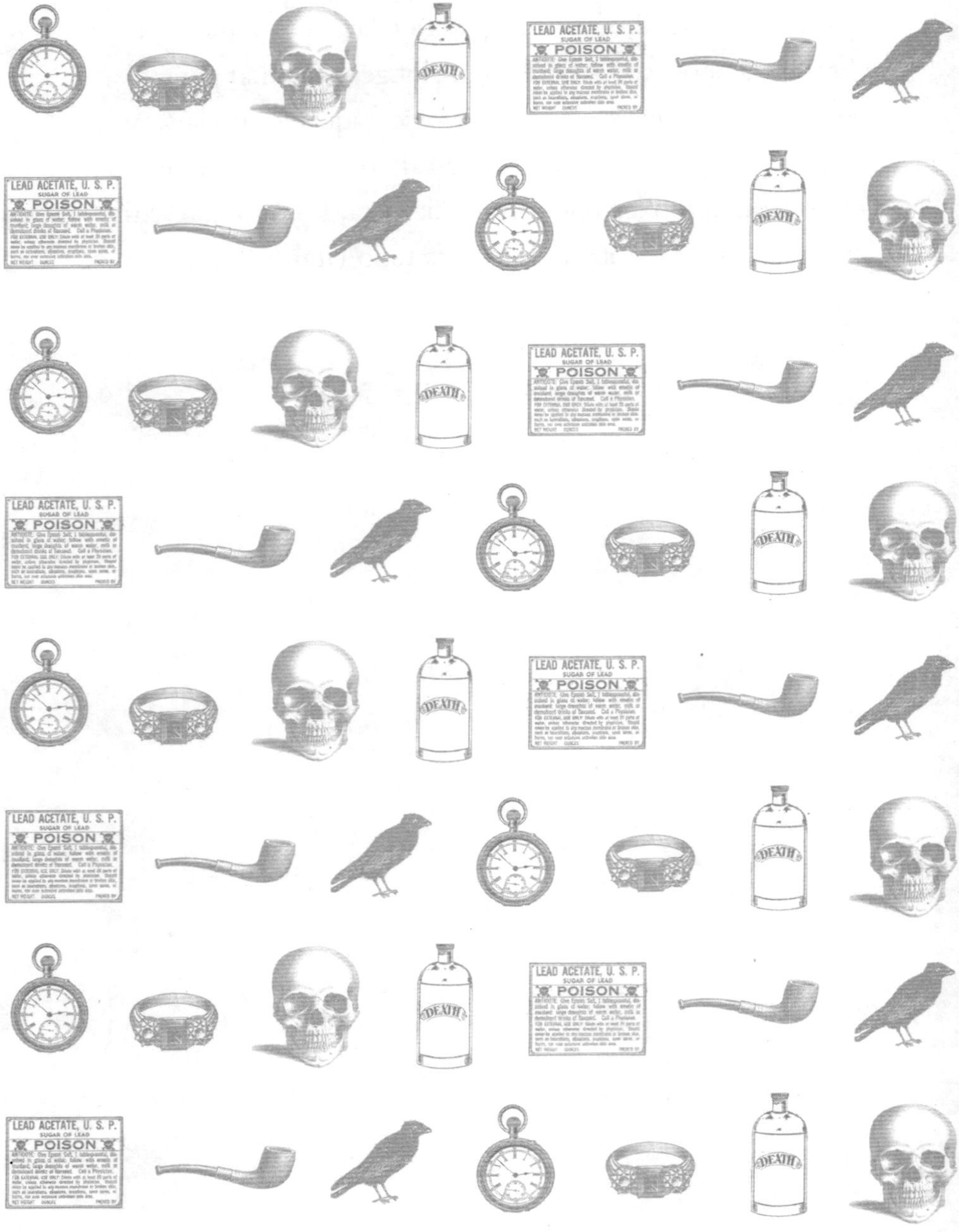
LEAD ACETATE, U. S. P.
SUGAR OF LEAD
POISON
DEATH

dez
JOHN FERRIER FALA COM O PROFETA

Três semanas haviam se passado desde que Jefferson Hope e seus camaradas partiram de Salt Lake City. O coração de John Ferrier doía quando ele pensava na volta do jovem, e na iminente perda de sua filha adotiva. No entanto, o rosto feliz e radiante da jovem o reconciliava com o acordo mais do que qualquer argumento poderia. Ele sempre determinara, no fundo de seu coração resoluto, que nada jamais o induziria a permitir que sua filha se casasse com um mórmon. Ele via tal casamento como nada além de uma vergonha e uma desgraça. O que quer que pensasse sobre as doutrinas dos mórmons, nesse ponto ele era inflexível. Precisava selar seus lábios sobre o assunto, no entanto, já que manifestar uma opinião pouco ortodoxa era algo perigoso naquela época, na Terra dos Santos.

Sim, algo perigoso — tão perigoso que até o mais santo

só ousava murmurar suas opiniões religiosas sob a respiração, por medo de que qualquer coisa que saísse de seus lábios pudesse ser mal interpretada e acarretasse uma rápida punição. As vítimas de perseguição agora se tornaram os próprios perseguidores, e perseguidores do tipo mais terrível. Nem a Inquisição de Sevilha, nem a Vehmgericht alemã, nem as sociedades secretas da Itália jamais foram capazes de movimentar uma máquina mais formidável do que aquela que cobria o estado de Utah como uma nuvem.

    Sua invisibilidade, e o mistério que estava associado a ela, tornavam essa organização duplamente terrível. Ela parecia onisciente e onipotente, no entanto não era nem vista, nem ouvida. Aquele que se pronunciava contra a Igreja desaparecia, e ninguém ficava sabendo para onde, nem o que fora feito dele. Sua esposa e seus filhos o aguardavam em casa, mas nenhum pai jamais voltou para dizer-lhes como fora tratado por seus juízes secretos. A uma palavra áspera ou um ato precipitado, seguia-se a aniquilação; no entanto, ninguém sabia qual seria a natureza desse poder terrível que pendia sobre suas cabeças. Não admirava que os homens vivessem com medo e tremendo, e que até no coração do deserto não ousassem murmurar as dúvidas que os oprimiam.

    De início, esse poder vago e terrível era exercido apenas sobre os recalcitrantes que, tendo abraçado a fé mórmon, desejassem depois pervertê-la ou abandoná-la. Logo, porém, seu alcance se ampliou. A oferta de mulheres adultas estava

JOHN FERRIER FALA COM O PROFETA

escasseando, e a poligamia, sem uma população feminina para supri-la, era de fato uma doutrina estéril. Estranhos rumores começaram a circular — rumores de imigrantes assassinados e campos atacados em regiões onde índios jamais haviam sido vistos. Novas mulheres apareceram nos haréns dos anciãos — mulheres que sofriam e choravam, e traziam no rosto as marcas de um horror inesquecível. Andarilhos retardatários que vagavam pelas montanhas falavam de bandos de homens armados, mascarados, sorrateiros e silenciosos que passavam por eles na escuridão. Essas histórias e rumores tomaram substância e forma e foram corroborados e recorroborados, até que ganharam um nome definido. Até o dia de hoje, nos ranchos solitários do Oeste, o nome do Bando Danita, ou dos Anjos Vingadores, é sinistro e agourento.

Um conhecimento mais completo da organização que produziu esses terríveis resultados serviu para aumentar, em vez de diminuir, o horror que ela inspirava na mente dos homens. Ninguém sabia quem pertencia a essa impiedosa associação. Os nomes dos participantes nos atos sangrentos e na violência feita em nome da religião eram mantidos no mais completo segredo. O próprio amigo ao qual alguém revelava suas faltas para com o Profeta e sua missão podia ser um daqueles que apareceriam à noite com o fogo e a espada para obter uma terrível reparação. Assim, todo homem temia o seu vizinho, e ninguém falava de suas ideias mais íntimas.

Uma bela manhã, John Ferrier estava para ir cuidar dos

seus campos de trigo quando ouviu o estalo da tranca e olhando pela janela viu um homem robusto, de cabelo grisalho e meia-idade subindo pelo caminho. Seu coração saltou para a boca, porque aquele não era ninguém menos que o grande Brigham Young em pessoa. Cheio de trepidação — pois sabia que tal visita dificilmente lhe traria boas novas —, Ferrier correu para a porta, a fim de receber o grande chefe mórmon. Este último, no entanto, respondeu à saudação com frieza, e o seguiu com semblante severo para a sala de estar.

— Irmão Ferrier — ele disse, sentando-se, e olhando firmemente o fazendeiro por baixo de seus cílios claros —, os verdadeiros crentes têm sido bons amigos para você. Nós o acolhemos quando estava morrendo de fome no deserto, dividimos nossa comida com você, o levamos para o Vale dos Escolhidos, lhe demos um bom lote de terra e permitimos que enriquecesse sob nossa proteção. Não é verdade?

— É verdade — respondeu John Ferrier.

— Em retribuição por tudo isso, só impusemos uma condição: que você abraçasse a verdadeira fé, e se conformasse de todas as formas aos seus costumes. Isso você prometeu fazer, e isso, se o que todos dizem for verdade, você não cumpriu.

— E de que forma não cumpri? — perguntou Ferrier, abrindo os braços em expostulação. — Não contribuo para o fundo comum? Não frequento o templo? Não...?

— Onde estão suas esposas? — perguntou Young, olhando ao redor. — Chame-as para que eu possa cumprimentá-las.

JOHN FERRIER FALA COM O PROFETA

— É verdade que não me casei — Ferrier respondeu. — Mas as mulheres eram poucas, e muitos tinham mais direito a elas do que eu. Nunca fui um homem solitário: tive minha filha para atender às minhas necessidades.

— É dessa filha que quero lhe falar — disse o líder dos mórmons. — Ela cresceu e se tornou a flor de Utah, e a favorita aos olhos de muitos que têm posição elevada na terra.

John Ferrier gemeu por dentro.

— Existem histórias sobre ela das quais prefiro duvidar, histórias de que ela está prometida para algum gentio. Devem ser mexericos das más línguas.

"Qual é a décima terceira regra no código do santificado Joseph Smith? 'Que cada donzela da verdadeira fé se case com um dos eleitos; porque se ela desposar um gentio, estará cometendo grave pecado.' Sendo assim, é impossível que você, que professa o credo sagrado, permita que sua filha o viole."

John Ferrier não respondeu, mas mexeu nervosamente em seu chicote de montaria.

— Nessa única questão, toda a sua fé será posta à prova — assim foi decidido no Conselho Sagrado dos Quatro. A garota é jovem, e não pedimos que se case com alguém grisalho, tampouco lhe tiraríamos toda possibilidade de escolha. Nós, anciões, temos muitas novilhas,* mas nossos filhos também precisam ser atendidos. Stangerson tem um filho e Drebber

---

* Heber C. Kemball, em um dos seus sermões, refere-se às suas cem esposas usando esse carinhoso epíteto. (N. A.)

também, e qualquer um deles receberia de bom grado a moça em sua casa. Que ela escolha entre os dois. São jovens e ricos, e professam a verdadeira fé. O que me diz disso?

Ferrier permaneceu em silêncio por algum tempo, com o cenho franzido.

— Dê-nos tempo — ele disse finalmente. — Minha filha é muito jovem, mal tem idade para se casar.

— Ela terá um mês para escolher — disse Young, levantando-se da poltrona. — Ao fim desse período, dará a sua resposta.

Ele estava passando pela porta quando se voltou, com o rosto vermelho e os olhos faiscando.

— Seria melhor para você, John Ferrier — trovejou —, que você e ela fossem agora esqueletos calcinados em Sierra Blanco, do que pôr suas fracas vontades contra as ordens dos Quatro Santos!

Com um gesto ameaçador, ele se afastou da porta, e Ferrier ouviu seus passos pesados amassando a brita do caminho.

Ele ainda estava sentado com os cotovelos apoiados nos joelhos, pensando em como iria expor o assunto para a filha, quando uma mão macia pousou sobre a dele, e erguendo o olhar, ele a viu ao seu lado. Um só olhar para seu rosto pálido e assustado revelou que ela ouvira tudo.

— Não pude evitar — ela disse, respondendo ao olhar de Ferrier. — A voz dele se ouvia pela casa toda. Oh, pai, pai, o que vamos fazer?

— Não tenha medo — ele respondeu, puxando-a para si,

JOHN FERRIER FALA COM O PROFETA

e passando sua mão larga e áspera carinhosamente no cabelo castanho da filha. — Daremos um jeito, de alguma forma. Não está gostando menos daquele rapaz, está?

Um soluço e um aperto em sua mão foram a única resposta.

— Não, claro que não. E nem eu gostaria de ouvir que não está. Ele é um bom sujeito, e é cristão, o que é mais do que esta gente daqui, apesar de tantas rezas e sermões. Um grupo está partindo para Nevada amanhã, e vou mandar uma mensagem para ele, contando a esparrela em que nos encontramos. Se conheço aquele rapaz, estará de volta aqui mais rápido do que um telegrama.

Lucy riu através das lágrimas ao ouvir as palavras do pai.

— Quando ele vier, vai nos aconselhar sobre o melhor a fazer. Mas é por você que eu temo, paizinho. Ouvem-se... ouvem-se histórias tão medonhas sobre aqueles que se opõem ao Profeta: algo terrível sempre acontece com eles.

— Mas ainda não nos opusemos a ele — respondeu o pai. — Quando o fizermos, precisaremos nos preocupar com a tormenta. Ainda temos um mês inteiro; ao fim desse prazo, acho que será melhor partirmos de Utah.

— Sair de Utah!

— É isso mesmo.

— Mas e a fazenda?

— Levantaremos quanto pudermos em dinheiro e deixaremos o resto. Para dizer a verdade, Lucy, não é a primeira vez que penso em fazer isso. Não gosto de me curvar para homem nenhum, como essa gente faz com seu maldito Profeta. Sou um americano livre, e tudo isso é novo para mim. Acho que estou velho demais para aprender. Se ele vier ciscar nesta fazenda, é capaz de encontrar uma carga de chumbo voando em sua direção.

— Mas eles não vão nos deixar partir — a filha argumentou.

— Espere Jefferson chegar, e logo daremos um jeito. Enquanto isso, não se aflija, querida, e não fique de olhos inchados, senão ele vai brigar comigo quando a vir. Não há nada a temer, e não há nenhum perigo.

John Ferrier pronunciou essas palavras de consolo em tom bem confiante, mas Lucy não pôde deixar de notar que ele tomou um cuidado fora do comum ao trancar as portas naquela noite, e limpou e carregou cuidadosamente a velha espingarda enferrujada que ficava pendurada na parede do seu quarto.

onze
UMA FUGA PELA VIDA

Na manhã que se seguiu ao seu colóquio com o Profeta mórmon, John Ferrier foi para Salt Lake City, e ao encontrar seu conhecido que ia partir para as Montanhas Nevadas, confiou-lhe a mensagem para Jefferson Hope. Nela, Ferrier contava ao jovem sobre o iminente perigo que os ameaçava e quão necessário era o seu regresso. Tendo feito isso, sentiu-se mais calmo, e voltou para casa com o coração aliviado.

Ao se aproximar de sua fazenda, ficou surpreso ao ver um cavalo amarrado a cada um dos postes do portão. Ainda mais surpreso ficou ao entrar e encontrar dois jovens invadindo sua sala de estar. Um, de rosto longo e pálido, estava refestelado na cadeira de balanço, com os pés sobre a estufa. O outro, um rapaz de pescoço grosso e semblante rude e inchado, estava de pé diante da janela, com as mãos nos bolsos, assobiando um hino popular. Ambos acenaram para Ferrier quando este entrou, e o que estava na cadeira de balanço deu início à conversa.

— Talvez o senhor não nos conheça — ele disse. — Este é o filho do Elder Drebber, e eu sou Joseph Stangerson, que viajou com o senhor no deserto, quando o Senhor estendeu Sua mão e o acolheu em Seu regaço.

— Como fará com todas as nações, a Seu devido tempo — disse o outro, com voz anasalada —; Ele mói devagar, mas bem miúdo.

John Ferrier cumprimentou-os com frieza. Já havia adivinhado quem eram seus visitantes.

— Viemos — continuou Stangerson — aconselhados por nossos pais, para solicitar a mão de sua filha para aquele, entre nós dois, que melhor aprouver ao senhor e a ela. Como tenho apenas quatro esposas e o Irmão Drebber aqui tem sete, parece-me que minha reivindicação tem mais força.

— Não, não, Irmão Stangerson — exclamou o outro —; a questão não é quantas esposas temos, mas quantas podemos sustentar. Meu pai agora me cedeu seus moinhos, então eu sou o mais rico.

— Mas minhas perspectivas são melhores — disse o outro amigavelmente. — Quando o Senhor levar meu pai, herdarei seu curtume e sua fábrica de couros. Além disso, sou mais velho que você e minha posição na Igreja é superior à sua.

— A donzela é que vai decidir — retrucou o jovem

Drebber, sorrindo para seu reflexo na vidraça. — Deixaremos o assunto nas mãos dela.

Durante esse diálogo, John Ferrier ficou parado na porta, fumegando de raiva, mal conseguindo manter seu chicote de montaria longe das costas dos dois visitantes.

— Olhem aqui — disse finalmente, avançando na direção deles —, quando minha filha chamar, podem vir, mas até lá, não quero mais ver a cara de vocês.

Os jovens mórmons olharam para ele, intrigados. Para os dois, essa competição pela mão da donzela era a mais alta honraria, tanto para ela quanto para seu pai.

— Existem duas maneiras de sair desta sala — exclamou Ferrier —; pela porta ou pela janela. Qual vocês preferem?

Seu rosto queimado parecia tão selvagem e suas mãos ossudas, tão ameaçadoras, que os visitantes se levantaram e bateram em retirada apressadamente. O velho fazendeiro os seguiu até a porta.

— Avisem-me quando tiverem decidido qual dos dois vai ser — disse sardonicamente.

— Vai se arrepender disso! — Stangerson gritou, pálido de raiva. — Desafiou o Profeta e o Conselho dos Quatro. Lamentará até o último dos seus dias.

— A mão do Senhor vai pesar — ameaçou o jovem Drebber —; Ele vai se erguer e golpeá-lo!

— Então eu vou começar com os golpes — exclamou Ferrier, furioso, e teria corrido escada acima para pegar sua arma, se Lucy não o tivesse impedido, segurando-o pelo braço. Antes que pudesse se desvencilhar dela, o barulho dos cascos dos cavalos anunciou que os dois já estavam fora do seu alcance.

— Santos canalhas! — ele exclamou, enxugando o suor do rosto. — Prefiro ver você no túmulo, menina, do que casada com qualquer um deles.

— Eu também, papai — ela respondeu com energia —; mas Jefferson logo chegará.

— Sim. Não tardará a chegar. Quanto antes, melhor, já que não sabemos o que eles farão a seguir.

Já era, de fato, tempo que alguém capaz de dar conselhos e ajuda viesse socorrer o velho e robusto fazendeiro e sua filha adotiva. Em toda a história do assentamento, nunca houvera um caso semelhante de desobediência hierárquica à autoridade dos anciões. Se erros menores eram punidos tão severamente, qual seria o destino desse arquirrebelde? Ferrier sabia que sua riqueza e sua posição de nada lhe valeriam. Outros tão bem conhecidos e ricos quanto ele já haviam sido obliterados, e seus bens, doados à Igreja. Ele era corajoso, mas tremia com os terrores vagos e sombrios que o ameaçavam. Qualquer perigo conhecido, ele conseguia enfrentar com firmeza, mas aquela expectativa era enervante. Ferrier ocultava seus temores da filha, no entanto, e fingia não dar importância a toda a situação, embora ela, com o olhar aguçado do amor, visse claramente que ele estava incomodado.

Ferrier esperava receber alguma mensagem ou reprimenda

de Young por sua conduta, e não se enganou, embora ela tenha chegado de maneira inesperada. Ao acordar na manhã seguinte, ele encontrou, para sua surpresa, uma pequena folha quadrada de papel presa em seu cobertor, bem em cima do seu peito. Nela estava escrito, em grandes e irregulares letras de forma:

> VOCÊ TEM 29 DIAS PARA SE EMENDAR, E ENTÃO...

As reticências metiam mais medo do que qualquer ameaça. Como esse aviso fora parar em seu quarto era algo que intrigava John Ferrier amargamente, porque seus criados dormiam em outra casa, e as portas e janelas estavam todas trancadas. Ele amassou o papel e não contou nada à filha, mas o incidente fez gelar seu coração. Os 29 dias eram, evidentemente, o saldo do mês que Young prometera. Que força ou coragem poderia valer contra um inimigo armado de poderes tão misteriosos? A mão que prendera aquele bilhete poderia ter apunhalado seu coração, e ele jamais saberia quem o matara.

Ainda mais abalado ele ficou na manhã seguinte. Eles acabavam de se sentar à mesa do desjejum quando Lucy, com um grito de surpresa, apontou para cima. No centro do forro estava rabiscado, aparentemente com um pedaço de carvão, o número 28. Para sua filha, aquilo era indecifrável, e ele nada explicou. Naquela noite, ficou sentado com sua arma, montando guarda.

Não viu nem ouviu nada; no entanto, pela manhã, um grande 27 havia sido pintado do lado de fora de sua porta.

    Assim os dias se seguiram; e tão certo quanto o amanhecer, todo dia ele descobria que seus inimigos invisíveis mantinham a conta, e marcavam em algum lugar de destaque quantos dias do mês de sua graça ainda faltavam. Às vezes os números fatais apareciam nas paredes, outras vezes no chão, ocasionalmente em plaquinhas presas no portão do jardim ou na cerca. Mesmo com toda a sua vigilância, John Ferrier não conseguia descobrir de onde vinham aqueles avisos diários. Um horror quase supersticioso o invadia quando os avistava. Ele estava esgotado e inquieto, e seus olhos tinham a expressão preocupada de uma presa numa caçada. Agora, só lhe restava uma esperança na vida: a chegada do jovem caçador de Nevada.

    Vinte mudou para quinze e quinze para dez, mas não chegavam notícias do viajante. Um a um, os números iam diminuindo, e ainda nenhum sinal dele. Sempre que se ouvia o tropel de um cavaleiro na estrada, ou que um boiadeiro gritava com seus homens, o velho fazendeiro corria para o portão, achando que a ajuda chegara, afinal. Finalmente, quando ele viu cinco tornar-se quatro e depois três, perdeu a coragem, e abandonou toda esperança de fuga. Sozinho, e com seu conhecimento limitado das montanhas ao redor do assentamento, ele sabia que estava impotente. As estradas mais frequentadas eram estritamente vigiadas e protegidas, e ninguém podia passar por elas sem ordem do conselho. Para qualquer lado que ele se virasse, parecia impossível evitar o golpe que pendia sobre sua cabeça. Todavia, o velho nunca fraquejou em sua determinação de abrir mão da própria vida antes de consentir com o que considerava a desonra de sua filha.

Ele estava sentado sozinho, uma tarde, ponderando profundamente seus problemas, e buscando em vão alguma saída para eles. Aquela manhã trouxera o algarismo dois para a parede de sua casa, e o dia seguinte seria o último do prazo determinado. O que iria acontecer, então? Todo tipo de fantasia vaga e terrível preenchia sua imaginação. E sua filha — o que seria dela depois que ele sumisse? Não havia escapatória da rede invisível tecida ao seu redor? Ele deitou a cabeça sobre a mesa e soluçou ao pensar em sua própria impotência.

O que foi aquilo? No silêncio, ele ouviu um leve arranhar — baixo, mas muito distinto na quietude da noite. Vinha da porta principal. Ferrier se esgueirou para a sala e ouviu com atenção. Houve uma pausa por alguns momentos, depois o som baixo e insidioso se repetiu. Alguém, evidentemente, estava batendo bem de leve numa das folhas da porta. Seria algum assassino noturno que viera cumprir as ordens homicidas do tribunal secreto? Ou algum agente, marcando o aviso de que o último dia da graça havia chegado? John Ferrier sentia que a morte instantânea seria melhor do que a expectativa que abalava seus nervos e gelava seu coração. Saltando para a frente, puxou a tranca e escancarou a porta.

Do lado de fora, tudo estava calmo e silencioso. A noite

era linda, e as estrelas emitiam seu brilho trêmulo do alto. O pequeno jardim se estendia diante dos olhos do fazendeiro, confinado pela cerca e pelo portão, mas nem ali, nem na estrada, havia algum ser humano à vista. Com um suspiro de alívio, Ferrier olhou para a direita e para a esquerda, até que, observando casualmente os próprios pés, viu, para seu assombro, um homem deitado de bruços no chão, de braços e pernas abertas.

Tão abalado ele ficou com aquela visão que se apoiou na parede, com a mão na garganta para sufocar o ímpeto de gritar. Seu primeiro pensamento foi que a figura prostrada fosse um homem ferido ou moribundo, mas, enquanto olhava, ele a viu rastejar pelo chão para dentro da sala com a rapidez e o silêncio de uma serpente. Assim que entrou na casa, o homem saltou de pé, fechou a porta e revelou ao estarrecido fazendeiro o rosto feroz e a expressão decidida de Jefferson Hope.

— Deus do céu! — exclamou John Ferrier. — O susto que você me deu! Por que entrou dessa maneira?

— Dê-me comida — o outro disse, com voz rouca. — Não tive tempo de comer nada nas últimas 48 horas. — Ele se jogou sobre a carne fria e o pão que ainda estavam sobre a mesa, depois do jantar do seu anfitrião, e devorou tudo vorazmente. — Lucy está bem? — ele perguntou, depois de matar a fome.

— Sim. Ela não sabe do perigo — o pai dela respondeu.

— Ainda bem. A casa está vigiada por todos os lados. Por isso rastejei para dentro. Eles podem ser muito espertos, mas não o suficiente para capturar um caçador *washoe*.

John Ferrier se sentia outro homem, agora que sabia que tinha um aliado devotado. Agarrou a mão áspera do jovem e a apertou cordialmente.

— Você é um homem que dá orgulho — disse. — Poucos teriam vindo compartilhar nosso perigo e nossos problemas.

— Tem razão, amigo — o jovem caçador respondeu. — Respeito você, mas se fosse só você nessa enrascada, eu pensaria duas vezes antes de enfiar a cabeça nesse ninho de marimbondos. É Lucy que me traz aqui, e antes que algo de mal lhe aconteça, acho que a família Hope de Utah terá um membro a menos.

— O que vamos fazer?

— Amanhã é o seu último dia, e a menos que você aja esta noite, está perdido. Tenho uma mula e dois cavalos esperando na Ravina Eagle. Quanto dinheiro você tem?

— Dois mil dólares em ouro e cinco em cédulas.

— Isso basta. Tenho outro tanto para acrescentar. Precisamos seguir para Carson City através das montanhas. É melhor você acordar Lucy. Ainda bem que os criados não dormem na casa.

Enquanto Ferrier estava ausente, preparando a filha para a iminente jornada, Jefferson Hope juntou num pequeno fardo toda a comida que encontrou e encheu uma jarra de pedra com água, pois sabia por experiência que os poços das montanhas eram poucos e bem espaçados. Mal havia terminado seus preparativos quando o fazendeiro voltou, com a filha vestida e pronta para a partida. O cumprimento entre os amantes foi caloroso, porém breve, porque os minutos eram preciosos, e havia muito a se fazer.

— Precisamos partir imediatamente — disse Jefferson Hope, falando em voz baixa mas decidida, como alguém que entende o tamanho da ameaça, mas fortaleceu seu coração para enfrentá-la. — As portas da frente e dos fundos estão vigiadas, mas com cautela poderemos sair pela janela lateral e atravessar os campos. Quando chegarmos à estrada, estaremos a apenas três quilômetros da ravina onde os cavalos estão à nossa espera. Ao amanhecer, já estaremos no meio da travessia entre as montanhas.

— E se formos detidos? — perguntou Ferrier.

Hope bateu no cabo do revólver que saía da frente do seu colete.

— Se for gente demais para nós, vamos levar dois ou três conosco — disse com um sorriso sinistro.

As luzes dentro da casa estavam todas apagadas, e pela janela escura, Ferrier espiou os campos que já foram seus, e que agora estava prestes a abandonar para sempre. Havia muito tempo ele se preparava mentalmente para esse sacrifício, porém, e a preocupação com a honra e a felicidade de sua filha compensava qualquer dor por sua fortuna arruinada. Tudo parecia tão calmo e feliz, as árvores farfalhantes e a ampla e silenciosa plantação de grãos, que era difícil dar-se conta de que o espírito do homicídio se esgueirava por ali. No entanto, o rosto pálido e a expressão determinada do jovem caçador mostravam que, ao se aproximar da casa, ele já vira o suficiente para se convencer disso.

Ferrier carregava a bolsa de ouro e as cédulas, Jefferson Hope levava as escassas provisões e a água, enquanto Lucy segurava um pequeno fardo contendo alguns de seus pertences mais valiosos. Abrindo a janela muito lenta e cuidadosamente, eles esperaram até que uma nuvem escura tornasse a noite um pouco mais negra, e então, um a um, saíram para o pequeno jardim. Prendendo o fôlego e agachados, atravessaram-no tropegamente e ganharam o abrigo da cerca, que ladearam até chegar à abertura que dava para o milharal. Haviam acabado de chegar a esse ponto quando o jovem agarrou seus dois acompanhantes e os puxou para as sombras, onde os três ficaram em silêncio e tremendo.

Ainda bem que seu treinamento nas planícies dera a Jefferson Hope a audição de um lince. Ele e seus amigos mal haviam se encolhido quando o pio melancólico de uma coruja das montanhas foi ouvido a poucos metros deles, imediatamente respondido por outro pio à pequena distância. No mesmo momento, uma silhueta vaga e sombria emergiu da abertura para a qual eles estavam se dirigindo e repetiu o lamurioso sinal, ao que um segundo homem surgiu da escuridão.

— Amanhã à meia-noite — disse o primeiro, que parecia ter autoridade. — Quando o bacurau cantar três vezes.

— Está bem — respondeu o outro. — Devo avisar o Irmão Drebber?

— Passe o recado para ele, e dele para os outros. Nove a sete!

— Sete a cinco! — repetiu o outro; e as duas figuras sumiram em direções diferentes. Suas palavras finais eram evidentemente alguma forma de senha e contrassenha. Assim que os passos se perderam na distância, Jefferson Hope saltou de pé, e ajudando seus acompanhantes a passar pela abertura, tomou a dianteira através dos campos o mais rápido que podia, sustentando e quase carregando a garota quando suas forças pareciam faltar.

— Depressa! Depressa! — ele exclamava de tempos em tempos. — Já passamos pela linha de sentinelas. Tudo depende da rapidez. Depressa!

Assim que chegaram à estrada, eles fizeram progresso velozmente. Só uma vez encontraram alguém, e conseguiram se esconder num campo e evitar serem reconhecidos. Antes de chegarem à cidade, o caçador se afastou para uma trilha rústica e estreita que levava para as montanhas. Dois picos escuros e irregulares se agigantavam acima deles nas trevas, e o desfiladeiro que passava entre os dois era a Ravina Eagle, onde os cavalos estavam esperando. Com instinto infalível, Jefferson Hope os guiou por entre os grandes rochedos e ao longo do leito de um curso de água seco, até chegar ao canto afastado, protegido por pedras, onde os fiéis animais haviam sido confinados. A garota foi colocada sobre a mula e o velho Ferrier sobre um dos cavalos, com sua bolsa de dinheiro, enquanto Jefferson Hope conduzia o outro animal pela trilha íngreme e perigosa.

Era um caminho desorientador para alguém desacostumado a encarar a natureza em seus humores mais selvagens. De um lado, uma grande encosta se erguia por trezentos metros ou mais, negra, dura e ameaçadora, com longas colunas basálticas em sua superfície áspera, como as costelas de algum monstro petrificado. De outro, um caos de rochedos e fragmentos tornava impossível qualquer avanço. No meio ficava a trilha irregular, tão estreita em alguns lugares que eles precisavam andar em fila indiana, e tão acidentada que somente cavaleiros experientes conseguiriam percorrê-la. No entanto, apesar de todos os perigos e dificuldades, o coração dos fugitivos estava leve, porque cada passo aumentava a distância entre eles e o terrível despotismo do qual fugiam.

Todavia, eles logo tiveram uma prova de que ainda se encontravam dentro da jurisdição dos Santos. Haviam chegado à parte mais selvagem e desolada da passagem, quando a garota soltou um grito assustado e apontou para cima. Num rochedo voltado para a trilha, claramente delineada contra o céu, estava uma sentinela solitária. O homem os avistou assim que foi notado, e seu desafio militar de "Quem vem lá?" ecoou pela ravina silenciosa.

— Viajantes rumo a Nevada — disse Jefferson Hope, com a mão sobre o rifle que pendia de sua sela.

Eles podiam ver o guardião solitário mexendo em sua arma e olhando para baixo, como que insatisfeito com a resposta.

— Com permissão de quem? — ele perguntou.

— Dos Quatro Santos — respondeu Ferrier. Suas

experiências com os mórmons haviam lhe ensinado que aquela era a mais alta autoridade à qual podia se referir.

— Nove a sete — gritou a sentinela.

— Sete a cinco — respondeu Jefferson Hope prontamente, lembrando a contrassenha que ouvira no jardim.

— Passem, e que o Senhor os acompanhe — disse a voz do alto. Depois do seu posto de vigia, a trilha se alargou, e os cavalos puderam começar a trotar. Olhando para trás, os fugitivos podiam ver o guardião solitário apoiado em sua arma, e sabiam que haviam passado pelo bastião mais avançado dos escolhidos, e que tinham a liberdade pela frente.

doze
OS ANJOS VINGADORES

Toda a noite, o itinerário da fuga se estendeu através de intrincados desfiladeiros e sobre caminhos irregulares e pedregosos. Mais de uma vez eles se perderam, mas o conhecimento íntimo que Hope tinha das montanhas possibilitou que voltassem à trilha certa. Quando amanheceu, uma cena de beleza maravilhosa, embora selvagem, se descortinava diante deles. Em todas as direções, os grandes picos nevados os rodeavam, acotovelando-se até o horizonte distante. Tão íngremes eram as paredes rochosas de cada lado deles que os lariços e pinheiros pareciam suspensos acima da cabeça dos viajantes, e prestes a despencar sobre eles à menor lufada de vento. E esse medo não era totalmente ilusório, já que o vale estéril estava abundantemente pontilhado por árvores e pedras que haviam desmoronado de forma parecida. Até mesmo enquanto eles passavam, uma grande pedra desabou com um ruído áspero, que acordou os ecos nas gargantas silenciosas e assustou os cavalos cansados, que romperam num galope.

À medida que o sol subia lentamente no horizonte ao leste, os picos das grandes montanhas se acendiam, um após o outro, como lanternas num festival, até ficarem todos rubros e brilhantes. O magnífico espetáculo alegrou o coração dos três fugitivos e lhes deu energia renovada. Numa torrente impetuosa que saía de uma ravina, eles pararam e deram água aos cavalos, enquanto consumiam um apressado desjejum. Lucy e seu pai prefeririam descansar mais, mas Jefferson Hope foi inexorável.

— Eles já devem ter achado nossos rastros — disse. — Tudo depende da nossa rapidez. Quando estivermos a salvo em Carson, poderemos descansar pelo resto da vida.

Durante todo aquele dia, eles andaram laboriosamente pelos desfiladeiros, e à noite calcularam que estavam a mais de 50 quilômetros de seus inimigos. À noite, escolheram o sopé de um penhasco saliente, onde as rochas ofereciam alguma proteção do vento gelado, e onde, amontoados para se aquecer, desfrutaram de algumas horas de sono. Antes do amanhecer, porém, já estavam mais uma vez em marcha. Não haviam visto nenhum sinal de perseguição, e Jefferson Hope começou a achar que estavam fora do alcance da terrível organização em cujo desfavor haviam incorrido. Mal sabia ele quão longe aquela mão de ferro podia alcançar, ou quão perto estava de se fechar sobre eles e esmagá-los.

Por volta da metade do segundo dia de fuga, o escasso estoque de suprimentos começou a se esgotar. Isso pouco incomodou o caçador, no entanto, porque havia caça em abundância nas montanhas, e muitas vezes ele precisara depender do seu rifle para sobreviver. Escolhendo uma reentrância discreta, ele amontoou alguns galhos secos e fez uma grande fogueira, perto da qual seus companheiros de viagem poderiam se aquecer, já que agora estavam quase 1.500 metros acima do nível do mar, e o ar era frio e cortante. Depois de amarrar os cavalos e se despedir de Lucy, ele jogou a arma sobre o ombro e saiu à procura do que o acaso lançasse em seu caminho. Olhando para trás, viu o velho e a jovem debruçados sobre o fogo intenso, enquanto os três animais ficavam imóveis ao fundo. Então as rochas os esconderam de vista.

Ele andou por alguns quilômetros, atravessando uma ravina após a outra sem sucesso, embora, pelas marcas nas cascas das árvores e outras indicações, ele achasse que haveria inúmeros ursos nas proximidades. Finalmente, depois de duas ou três horas de busca infrutífera, ele já estava pensando em voltar, desesperado, quando, olhando para cima, viu uma imagem que fez um arrepio de prazer percorrer sua espinha. No alto de um pico saliente, 100 ou 120 metros acima dele, estava uma criatura cuja aparência lembrava a de um carneiro, mas armado com um par de chifres gigantes.

O carneiro canadense — pois assim ele é chamado — estava postado, provavelmente, como guardião de um rebanho invisível para o caçador; mas, felizmente, a cabeça do animal apontava para outro lado, e ele não percebera a presença de Hope. Deitado de bruços, este apoiou o rifle numa pedra e mirou cuidadosamente antes de puxar o gatilho. O animal saltou no ar, cambaleou por um momento na borda do precipício e então desabou no vale lá embaixo.

A criatura era grande demais para ser carregada, por isso o caçador se contentou em cortar uma anca e parte do flanco. Com esse troféu sobre o ombro, ele se apressou em voltar ao lugar de onde viera, porque já principiava a entardecer. Mal começara a andar, porém, quando se deu conta da dificuldade que enfrentava. Ele afoitamente vagara bem além das ravinas que conhecia, e não seria fácil encontrar o caminho de volta. O vale onde ele se encontrava se dividia e subdividia em várias gargantas, tão parecidas entre si que era impossível distinguir uma da outra. Hope seguiu uma delas por mais de 1,5 quilômetro, até chegar a uma torrente da montanha que ele tinha certeza de jamais ter visto antes. Convencido de que seguira o caminho errado, tentou outro, mas com o mesmo resultado. A noite caía rapidamente, e estava quase escuro quando ele finalmente se viu num desfiladeiro que achava familiar. Mesmo então, não foi fácil manter-se no caminho certo, já que a lua ainda não surgira, e os altos penhascos dos dois lados aumentavam ainda mais a escuridão. Sobrecarregado por seu fardo e exausto pelo exercício, ele cambaleava, fortalecendo seu coração com o pensamento de que cada passo o levava mais para perto de Lucy, e que ele carregava comida suficiente para o resto da jornada.

Ele havia chegado à boca do desfiladeiro onde os deixara. Mesmo na escuridão, conseguia reconhecer o contorno dos penhascos que o circundavam. Os dois deveriam, refletiu, estar esperando ansiosamente por ele, pois ficara ausente por quase cinco horas. De coração feliz, pôs as mãos ao redor da boca e fez o vale ecoar com um alto "alô", como sinal de que estava chegando. Ele parou e ficou à escuta da resposta. Nada veio, a não ser seu próprio grito, que sacudiu as ravinas soturnas e silenciosas, e voltou aos seus ouvidos em incontáveis repetições. Novamente ele gritou, mais alto ainda do que antes, e mais uma vez, nem um sussurro chegou dos amigos que ele deixara havia tão pouco tempo. Um medo vago e inominável se apoderou dele, que seguiu freneticamente em frente, deixando cair o precioso alimento em sua agitação.

Ao contornar uma parede rochosa, ele avistou completamente o lugar onde a fogueira fora acesa. Ainda havia um monte de brasas brilhantes ali, mas evidentemente ninguém o alimentava desde a sua partida. O mesmo silêncio mortal reinava ao redor. Com seus temores se transformando em convicções, ele se apressou. Não havia uma só criatura viva ao redor dos restos da fogueira: animais, homem, donzela, todos desapareceram. Estava claro demais que algum desastre repentino e terrível acontecera durante a sua ausência — um desastre que abrangera a todos, mas sem deixar para trás nenhum rastro.

    Confuso e atordoado por esse golpe, Jefferson Hope sentia sua cabeça rodando, e precisou se apoiar no rifle para não cair. Ele era essencialmente um homem de ação, todavia, e rapidamente se recuperou de sua impotência temporária. Pegando um pedaço de madeira do meio das brasas, soprou-o até obter uma chama, e com sua assistência, tratou de examinar o pequeno acampamento. O chão estava todo pisoteado por cascos, mostrando que um grande grupo de homens a cavalo havia alcançado os fugitivos, e a direção de seus rastros provava que em seguida eles voltaram para Salt Lake City. Teriam levado seus dois companheiros de viagem? Jefferson Hope quase se convencera de que fizeram isso, quando seu olhar encontrou um objeto que fez cada nervo do seu corpo formigar. Um pouco para o lado do acampamento havia um montinho baixo de terra vermelha, que certamente não estava ali antes. Via-se inconfundivelmente que era nada menos que um túmulo recém-cavado. Quando o jovem caçador se aproximou, notou que um graveto havia sido plantado sobre ele, com uma folha de papel presa na forquilha. O texto do papel era breve, mas direto:

> JOHN FERRIER
> EX-CIDADÃO DE SALT LAKE CITY
> Falecido em 4 de agosto de 1860

O velho robusto que ele deixara tão poucas horas antes se fora, então, e aquele era todo o seu epitáfio. Jefferson Hope olhou tresloucadamente ao redor para ver se havia um segundo túmulo, mas não encontrou nem sinal dele. Lucy fora levada de volta por seus terríveis perseguidores para cumprir seu destino original, tornando-se uma das mulheres no harém do filho de um ancião. Ao se dar conta da certeza do destino da moça, e de como ele era impotente para evitá-lo, o jovem desejou estar deitado ao lado do velho fazendeiro, em seu último e silencioso local de repouso.

Novamente, no entanto, seu espírito ativo sacudiu a letargia que brotava do desespero. Se não lhe restava mais nada, poderia ao menos devotar sua vida à vingança. Além de paciência e perseverança indômitas, Jefferson Hope também possuía uma força de espírito vingativo que talvez tivesse recebido dos índios entre os quais vivera. De pé ao lado da fogueira desolada, sentiu que a única coisa que poderia aplacar sua dor seria a retribuição total e completa, causada por suas próprias mãos, aos seus inimigos. Sua forte vontade e energia incansável deveriam, ele determinou, ser devotadas a esse propósito. Com o semblante crispado e pálido, ele refez os passos até o local onde derrubara a comida, e depois de avivar o braseiro moribundo, cozinhou o suficiente para lhe bastar por alguns dias. Pôs as refeições num farnel e, cansado como estava, começou a caminhar de volta pelas montanhas, no encalço dos Anjos Vingadores.

Por cinco dias ele sofreu, exausto e com os pés doloridos, através dos desfiladeiros que antes atravessara a cavalo. À noite, desabava entre as pedras e se concedia algumas horas de sono; mas, antes do amanhecer, já estava novamente a caminho. No sexto dia, chegou à Ravina Eagle, onde começara sua malograda fuga. Dali, podia ver de cima o lar dos santos. Fraco e exausto, apoiado no rifle, agitava ferozmente a mão magra para a cidade silenciosa que se descortinava a seus pés. Ao olhá-la, notou que havia bandeiras e outros sinais de festividades em algumas das ruas principais. Ele ainda estava especulando sobre o que isso poderia significar, quando ouviu o ruído de cascos de cavalo e viu um homem galopando em sua direção. Quando este se aproximou, ele o reconheceu como um mórmon chamado Cowper, para o qual prestara serviços em diferentes ocasiões. Portanto, abordou-o quando se aproximou, com o objetivo de descobrir o que fora feito de Lucy Ferrier.

— Eu sou Jefferson Hope — ele disse. — Você se lembra de mim.

O mórmon o olhou com indisfarçável assombro — de fato, era difícil reconhecer naquele andarilho andrajoso e desalinhado, de rosto pálido e sinistro e olhar enlouquecido e feroz, o jovem e dinâmico caçador de antes. No entanto, quando se convenceu da identidade de Hope, o homem passou da surpresa à consternação.

— Você é louco de voltar aqui — ele exclamou. — Custaria

minha vida ser visto falando com você. Há uma sentença dos Quatro Santos sobre a sua cabeça por assistir a fuga dos Ferrier.

— Não os temo, nem à sua sentença — Hope disse com franqueza. — Você deve saber algo sobre isso, Cowper. Rogo por tudo que lhe é caro que me responda algumas perguntas. Nós sempre fomos amigos. Pelo amor de Deus, não se negue a me responder.

— O que é? — o mórmon perguntou, pouco à vontade. — Seja rápido. Até as pedras têm ouvidos, e as árvores, olhos.

— O que é feito de Lucy Ferrier?

— Ela se casou ontem com o jovem Drebber. Segure-se, homem, segure-se; você está quase sem vida.

— Não se preocupe comigo — disse Hope com voz fraca. Estava branco até nos lábios, e deslizara pela pedra na qual se apoiava. — Casou-se, você disse?

— Casou-se ontem, por isso todas aquelas bandeiras na Casa de Cerimônias. O jovem Drebber e o jovem Stangerson discutiram um pouco sobre quem ficaria com ela. Ambos participaram do grupo que os perseguiu, e Stangerson atirou no pai dela, o que parecia lhe conferir um direito maior; mas, quando o assunto foi discutido no conselho, o lado de Drebber foi o mais forte, por isso o Profeta a entregou a ele. Mas ninguém vai tê-la por muito tempo, porque vi a morte em seu rosto ontem. Parece mais um fantasma do que uma mulher. Você já vai?

— Sim, já vou — disse Jefferson Hope, que se levantara do seu assento. Seu rosto poderia ter sido esculpido em mármore, com aquela expressão tão dura e determinada, enquanto seus olhos ardiam com uma luz maligna.

— Aonde você vai?

— Não importa — ele respondeu; e, jogando a arma sobre o ombro, marchou garganta abaixo, penetrando no coração das montanhas, onde viviam os animais selvagens, nenhum tão feroz e perigoso quanto ele.

A previsão do mórmon se concretizou perfeitamente demais. Fosse pela morte terrível do pai ou pelos efeitos do odioso matrimônio ao qual fora forçada, a pobre Lucy nunca mais ergueu a cabeça, definhando e morrendo em um mês. Seu marido beberrão, que a desposara principalmente por causa das propriedades de John Ferrier, não afetou qualquer grande sofrimento por sua perda, mas suas outras esposas lamentaram por ela, e velaram seu corpo na noite antes do sepultamento, como é o costume mórmon. Elas estavam reunidas ao redor do ataúde na alta madrugada, quando, para indizível pavor e surpresa de todas, a porta se escancarou e um homem de aspecto selvagem e castigado pelas intempéries, com a roupa esfarrapada, marchou para dentro da sala. Sem olhar ou dizer palavra para as mulheres amedrontadas, ele andou até o corpo pálido e silencioso que um dia contivera a alma pura de Lucy Ferrier. Debruçando-se sobre ela, pousou os lábios respeitosamente em sua testa fria, e então, tomando-lhe a mão, tirou a aliança do seu dedo.

— Ela não vai ser enterrada com isto — exclamou com

um rosnado feroz, e antes que as mulheres pudessem dar o alarme, correu escada abaixo e se foi. Tão estranho e breve foi o episódio, que até as testemunhas poderiam tê-lo considerado difícil de acreditar, ou de persuadir outros de sua veracidade, não fosse pelo inegável fato de que o anel de ouro que marcava a morta como esposa desaparecera.

Por alguns meses, Jefferson Hope vagou entre as montanhas, levando uma vida estranha e selvagem, e alimentando em seu coração o feroz desejo de vingança que o possuía. Na cidade, contavam-se histórias da bizarra figura que era vista rondando os bairros distantes, e que assombrava os vales solitários. Uma vez, uma bala passou zunindo pela janela de Stangerson e se achatou na parede, a 30 centímetros dele. Em outra ocasião, quando Drebber passava por um penhasco, um enorme pedregulho caiu em sua direção, e ele só escapou de uma morte terrível porque se jogou no chão de bruços. Os dois jovens mórmons logo descobriram o motivo desses atentados contra suas vidas, e lideraram repetidas expedições às montanhas, na esperança de capturar ou matar seu inimigo, mas sempre sem sucesso. Então adotaram a precaução de jamais saírem sozinhos ou depois do anoitecer, e de terem suas casas vigiadas. Depois de algum tempo, conseguiram relaxar essas medidas, já que nada mais se ouviu ou viu do seu oponente, e esperavam que o tempo tivesse esfriado o seu espírito vingativo.

Longe disso, esse espírito na verdade se fortalecera. A mente do caçador era de uma natureza dura e inflexível, e a ideia predominante da vingança se apossara tão completamente dela que não sobrava espaço para mais nenhuma emoção. No entanto, ele era acima de tudo pragmático. Logo se deu conta de que até sua compleição férrea não suportaria a fadiga incessante à qual se submetia. As intempéries e a falta de comida saudável o estavam esgotando. Se ele morresse feito um cão entre as montanhas, o que seria de sua vingança? E uma morte assim seria certamente o seu fim, caso persistisse. Ele sentiu que deixar isso acontecer seria fazer o jogo do inimigo, portanto, relutantemente, voltou para as velhas minas de Nevada, para recuperar a saúde e acumular dinheiro suficiente para buscar seu objetivo sem privações.

Sua intenção era ficar ausente um ano, no máximo, mas uma combinação de circunstâncias imprevistas o impediu de sair das minas por quase cinco anos. Ao fim desse período, porém, sua lembrança das injustiças e sua sede de vingança estavam tão vivas quanto naquela memorável noite em que ele encontrara o túmulo de John Ferrier. Disfarçado e com um nome falso, Hope voltou para Salt Lake City, sem se preocupar com sua vida, contanto que obtivesse o que ele sabia ser justiça. Lá, encontrou péssimas notícias à sua espera. Um cisma dividira os Escolhidos alguns meses antes, com alguns dos membros mais jovens da Igreja se rebelando contra a autoridade dos anciões, e o resultado fora a secessão de um certo número dos descontentes, que partiram de Utah e se tornaram gentios. Entre eles estavam Drebber e Stangerson, e ninguém sabia para onde os dois haviam seguido. Boatos diziam que Drebber conseguira converter grande parte de suas propriedades em dinheiro, e que partira, rico, enquanto seu colega, Stangerson, continuara comparativamente pobre. Não havia nenhuma pista, no entanto, sobre o paradeiro dos dois.

Muitos homens, por mais vingativos que fossem, teriam abandonado qualquer ideia de retribuição diante de tais dificuldades, mas Jefferson Hope não titubeou nem por um momento. Com os pequenos recursos que possuía, laboriosamente angariados nos empregos que conseguia arranjar, viajou de cidade em cidade pelos Estados Unidos, em busca de seus inimigos. Ano após ano, seu cabelo ficou grisalho, mas ele continuava vagando, um perdigueiro humano, com sua mente totalmente voltada para o único objetivo ao qual devotara sua vida. Finalmente, sua perseverança foi recompensada. Foi apenas o vislumbre de um rosto numa janela, mas aquele olhar fugidio lhe revelou que os homens que ele perseguia estavam em Cleveland, Ohio. Ele voltou para seu alojamento miserável com o plano de vingança todo preparado. Quis o acaso, todavia, que Drebber, olhando pela janela, reconhecesse aquele maltrapilho na rua, e lesse o ódio mortal em seus olhos. Ele se apressou a procurar um juiz, acompanhado por Stangerson, que se tornara seu secretário particular, e declarou que os dois corriam perigo de vida, graças ao ciúme e ódio de um antigo rival. Naquela noite, Jefferson Hope foi detido, e sem ter como pagar a fiança, ficou preso por algumas semanas. Quando finalmente foi libertado, foi só para descobrir que a casa de Drebber estava deserta, e que ele e seu secretário haviam partido para a Europa.

Mais uma vez, o vingador havia sido derrotado, e mais uma vez seu ódio concentrado o instigou a prosseguir na perseguição. Faltavam-lhe fundos, no entanto, e por algum tempo ele teve que voltar a trabalhar, poupando cada centavo para sua iminente jornada. Por fim, tendo acumulado o suficiente para manter-se vivo, partiu para a Europa, e rastreou seus inimigos de cidade em cidade, aceitando qualquer emprego humilde, mas jamais alcançando os fugitivos. Quando chegou a São Petersburgo, eles haviam fugido para Paris; e quando os seguiu, descobriu que tinham acabado de partir para Copenhague. Na capital dinamarquesa, mais uma vez ele chegou alguns dias atrasado, pois seus inimigos haviam partido para Londres, onde finalmente conseguiu atacá-los. Quanto ao que aconteceu ali, nada melhor do que citar o relato do próprio velho caçador, devidamente registrado no diário do Dr. Watson, ao qual já devemos tanto.

treze
CONTINUAÇÃO DAS REMINISCÊNCIAS DO DR. JOHN WATSON

A resistência furiosa do nosso prisioneiro não parecia indicar nenhuma animosidade de seu caráter contra nós mesmos, porque ao se ver impotente, ele sorriu de maneira afável e manifestou sua esperança de não ter ferido nenhum de nós na escaramuça.

— Presumo que os senhores me levarão para a chefatura de polícia — disse a Sherlock Holmes. — Meu táxi está aqui na frente. Se soltarem minhas pernas, andarei até lá. Não sou tão leve de carregar como já fui.

Gregson e Lestrade se entreolharam, como se achassem essa proposta um tanto ousada; mas Holmes imediatamente aceitou a palavra do prisioneiro e desamarrou a toalha com a qual havíamos atado seus tornozelos. Ele se levantou e esticou as pernas, como que para se certificar de que estavam novamente livres. Lembro que pensei, enquanto o observava, que poucas vezes vi um homem de compleição mais forte; e seu rosto escuro, queimado pelo sol, tinha uma expressão de determinação e energia tão formidável quanto sua força física.

— Se houver uma vaga para chefe de polícia, acho que o senhor é o homem certo — ele disse, olhando com indisfarçada admiração para meu colega de residência. — O modo como se manteve no meu encalço foi notável.

— É melhor vocês me acompanharem — disse Holmes para os dois detetives.

— Eu posso levá-los — disse Lestrade.

— Ótimo! E Gregson irá dentro da cabine comigo. Você também, doutor. Já que se interessou pelo caso, pode continuar conosco.

Assenti de bom grado, e todos descemos juntos. Nosso prisioneiro não esboçou nenhuma tentativa de fuga, entrando calmamente no táxi que fora dele, em vez disso, e nós o seguimos. Lestrade montou na boleia, estalou o chicote e levou-nos em bem pouco tempo para o nosso destino. Fomos introduzidos a uma saleta, onde um inspetor da polícia anotou o nome do nosso prisioneiro e os nomes dos homens de cujos assassinatos ele era acusado. O oficial era um homem pálido e sem emoções, que desempenhava suas funções de maneira mecânica, monótona.

— O prisioneiro será apresentado aos magistrados durante a semana — disse —; enquanto isso, Sr. Jefferson Hope, deseja dizer algo? Devo avisar que suas palavras serão anotadas, e poderão ser usadas contra o senhor.

— Tenho muito a dizer — falou nosso prisioneiro lentamente. — Quero lhes contar tudo a respeito do caso, cavalheiros.

— Não é melhor guardar isso para o julgamento? — perguntou o inspetor.

— Talvez eu nem chegue a ser julgado — ele respondeu. — Não precisam se assustar. Não estou contemplando o suicídio. O senhor é médico? — ele voltou seus olhos ferozes e escuros para mim, ao fazer essa última pergunta.

— Sou, sim — respondi.

— Então ponha a mão aqui — ele disse sorrindo, indicando o próprio peito com os pulsos algemados.

Fiz isso, e imediatamente percebi uma palpitação e uma agitação extraordinárias lá dentro. As paredes de seu tórax pareciam vibrar e tremer como as de um edifício frágil que contivesse algum poderoso motor em funcionamento. No silêncio da sala, eu podia ouvir um zumbido abafado que vinha da mesma fonte.

— Ora — exclamei —, o senhor tem um aneurisma na aorta!

— É assim que o chamam — ele disse placidamente. — Fui a um médico semana passada, e ele me disse que vai rebentar em poucos dias. Está piorando há anos. Eu o contraí graças à exposição excessiva aos elementos e à desnutrição nas montanhas de Salt Lake. Agora já fiz o meu trabalho, e não me importa quanto tempo me resta, mas gostaria de deixar algum relato do caso. Não quero ser lembrado como um facínora comum.

O inspetor e os dois detetives tiveram uma rápida discussão sobre quão aconselhável seria deixar que ele contasse sua história.

— O senhor considera, doutor, que existe risco imediato? — o primeiro perguntou.

— Certamente que existe — respondi.

— Nesse caso, está claro que o nosso dever, no interesse da justiça, é tomar seu depoimento — disse o inspetor. — Fique à vontade, senhor, para fazer o seu relato, que, aviso novamente, será anotado.

— Vou me sentar, com sua permissão — disse o prisioneiro, fazendo-o. — Este meu aneurisma faz com que eu me canse facilmente, e a rusga que tivemos meia hora atrás não melhorou a situação. Estou à beira da morte, e não pretendo mentir para os senhores. Cada palavra que eu disser é a mais pura verdade, e como será usada, não faz diferença para mim.

Com essas palavras, Jefferson Hope se encostou na cadeira e começou a dar o notável depoimento a seguir. Ele falava de maneira calma e metódica, como se os fatos que narrava fossem bastante corriqueiros. Posso atestar a exatidão do depoimento anexo, já que tive acesso ao caderno de Lestrade, onde as palavras do prisioneiro foram anotadas tais e quais foram ditas.

— Não importa saber por que eu odiava aqueles homens — ele começou —; basta que os senhores saibam que eles eram culpados da morte de dois seres humanos, um pai e uma filha, e que me deviam, portanto, suas vidas. Como muito tempo se passara desde esse crime, seria impossível, para mim, obter a condenação dos dois perante qualquer tribunal. Eu sabia de sua culpa, porém, e decidi que me tornaria um misto de juiz, júri e carrasco. Os senhores teriam feito o mesmo, se têm alguma hombridade, caso estivessem no meu lugar.

"A garota de que falei iria se casar comigo há vinte anos. Ela foi obrigada a se casar com esse Drebber, e seu coração se partiu por isso. Tirei a aliança de seu dedo sem vida, e jurei que os olhos moribundos desse homem veriam essa mesma aliança, e que seus últimos pensamentos seriam sobre o crime pelo qual seria punido. Carreguei esse anel comigo, seguindo a ele e ao seu cúmplice por dois continentes até alcançá-los. Eles pensaram que me venceriam pelo cansaço, mas não conseguiram. Se eu morrer amanhã, como é bem provável, morrerei sabendo que meu trabalho neste mundo está completo, e foi bem realizado. Os dois morreram, e pelas minhas mãos. Não me resta mais nada a esperar ou desejar.

"Eles eram ricos e eu era pobre, por isso não foi tarefa fácil, para mim, segui-los. Quando cheguei a Londres, meus bolsos estavam quase vazios, e constatei que precisava exercer algum trabalho para sobreviver. Conduzir carruagens e montar são atividades tão naturais quanto caminhar para mim, então ofereci meus serviços a um proprietário de táxis, e logo vi-me empregado. Eu precisava entregar uma determinada quantia por semana ao proprietário, e podia guardar todo o excedente para mim. Raramente sobrava muita coisa, mas eu conseguia ir levando. O mais difícil foi aprender a me orientar, pois acho que de todos os labirintos que já foram criados, esta cidade é o mais intrigante. Mas eu sempre tinha um mapa comigo, e uma vez que localizei os principais hotéis e estações, comecei a me sair muito bem.

"Levei algum tempo para descobrir onde meus dois cavalheiros estavam residindo; mas perguntei e perguntei até que finalmente topei com eles. Estavam numa hospedaria de Camberwell, do outro lado do rio. Assim que os encontrei, percebi que estavam à minha mercê. Eu deixara a barba crescer, e era impossível que me reconhecessem. Eu os rastrearia e seguiria até encontrar uma oportunidade. Estava determinado a não permitir que escapassem novamente.

"Mas eles quase conseguiram, apesar disso. Aonde quer que fossem em Londres, eu estava sempre nos seus calcanhares. Às vezes os seguia em meu táxi, outras vezes a pé, mas o primeiro método era o melhor, porque assim eles não tinham como me escapar. Somente de madrugada ou bem tarde à noite eu podia faturar algum, por isso comecei a dever ao meu empregador. Não me importava, no entanto, desde que eu conseguisse pôr as mãos nas minhas presas.

"Só que os dois eram astutos. Deviam ter imaginado que havia alguma probabilidade de estarem sendo seguidos, já que nunca saíam sozinhos, e jamais depois do anoitecer. Por duas semanas eu os segui todo dia, e nem uma só vez os vi separados. O próprio Drebber estava bêbado metade do tempo, mas Stangerson não cochilava. Eu os vigiava à noite e pela manhã, mas jamais tive a menor oportunidade; não me desencorajei, porém, porque algo me dizia que essa hora estava quase chegando. Meu único temor era que esta coisa no meu peito rebentasse cedo demais e não me permitisse concluir o meu trabalho.

"Finalmente, uma noite, eu conduzia meu táxi de um lado para o outro na Torquay Terrace, a rua na qual eles estavam hospedados, quando vi outro táxi parando em sua porta. Logo, algumas malas foram levadas para fora, e depois de um tempo, Drebber e Stangerson as seguiram e partiram. Estalei o chicote e os mantive em vista, sentindo um desconforto muito grande, porque temia que eles fossem se hospedar em outro lugar. Na Estação Euston, eles desceram, e eu deixei um garoto cuidando do meu cavalo para segui-los até a plataforma. Ouvi quando perguntaram sobre o trem para Liverpool, e o guarda respondeu que uma composição acabara de partir e que a próxima iria demorar algumas horas. Stangerson pareceu contrariado com isso, mas Drebber ficou mais satisfeito. Cheguei tão perto, no rebuliço da estação, que pude ouvir cada palavra que os dois trocaram. Drebber disse ter um assuntozinho pessoal a resolver, e que se o outro esperasse, ele voltaria em breve. Seu colega discordou, e lembrou que os dois haviam decidido permanecer juntos. Drebber respondeu que era um assunto delicado, e que precisava ir sozinho. Não pude ouvir o que Stangerson respondeu a isso, mas o outro começou a praguejar, e lembrou-lhe de que ele não era nada mais do que um serviçal a seu soldo, e que não devia nem pensar em lhe dar ordens. Ao ouvir isso, o secretário desistiu de gastar vela com mau defunto, e simplesmente combinou com ele que, caso este perdesse o próximo trem, deveria encontrá-lo no Hotel Particular Halliday's; ao que Drebber respondeu que estaria de volta à plataforma antes das 23h, e saiu da estação.

"O momento que eu tanto aguardara havia finalmente chegado. Meus inimigos estavam em meu poder. Juntos, podiam proteger um ao outro, mas, separados, estavam à minha mercê. Não agi, no entanto, com precipitação indevida. Meus planos já estavam prontos. Não há satisfação na vingança, a menos que o culpado tenha tempo de perceber quem o está atacando, e por que está recebendo o castigo. De acordo com meus planos, eu teria a oportunidade de fazer o homem que me injustiçou entender que seu antigo pecado o alcançara. Por acaso, alguns dias antes, um cavalheiro que estava visitando alguns imóveis na Brixton Road deixara cair a chave de um deles no meu veículo. Mandou buscá-la naquela mesma noite, e ela foi devolvida; mas, nesse ínterim, eu havia tirado um molde e mandado fazer uma cópia dela. Com isso, eu tinha acesso a pelo menos um lugar, nesta grande cidade, onde certamente poderia agir sem interrupções. Como levar Drebber até essa casa era o difícil problema que eu precisava então resolver.

"Ele andou pela rua e entrou em uma ou duas tavernas, ficando quase meia hora na última delas. Quando saiu, estava cambaleando e evidentemente bêbado. Um *hansom* seguia à minha frente, e ele mandou que parasse. Eu o segui tão de perto que o nariz do meu cavalo ficou a menos de 1 metro do cocheiro o caminho todo. Sacolejamos pela Ponte de Waterloo e por quilômetros de ruas, até que, para meu assombro, nos vimos de volta à rua de sua antiga hospedaria. Não podia imaginar qual seria sua intenção em voltar para lá; mas parei meu táxi a uma centena de metros da casa. Ele entrou, e seu *hansom* foi embora. Deem-me um copo d'água, por favor. Minha boca está seca de tanto falar."

Passei-lhe o copo e ele bebeu.

— Assim está melhor — ele disse. — Bem, esperei por um quarto de hora, ou mais, até que de repente ouvi um barulho, como de gente lutando dentro da casa. Ato contínuo, a porta se escancarou e dois homens apareceram, um dos quais era Drebber, e o outro, um jovem camarada que eu jamais vira antes. Esse sujeito segurava Drebber pelo colarinho, e quando chegaram ao alto da escada, lhe deu um empurrão e um pontapé que o jogaram no meio da rua. "Cachorro", ele gritou, ameaçando-o com um bastão; "vai aprender a não insultar uma moça honesta!" Ele estava tão exaltado que achei que iria espancar Drebber com aquele taco, se o velhaco não cambaleasse pela rua tão rapidamente quanto suas pernas conseguiam levá-lo. Ele correu até a esquina, e então, vendo meu táxi, fez sinal e entrou. "Para o Hotel Particular Halliday's", disse.

"Assim que o vi dentro do meu táxi, meu coração saltou tanto de alegria que temi que meu aneurisma fosse me matar justamente nesse último momento. Segui para o destino devagar, ponderando mentalmente o melhor a fazer. Eu poderia levá-lo para fora da cidade, e em alguma estrada deserta ter meu colóquio final com ele. Estava quase decidido a fazer isso, quando ele resolveu o meu dilema. O desejo da bebida se apossara novamente do homem, e ele mandou que eu parasse diante de um local onde gim era servido. Entrou, depois de mandar que eu o esperasse. Lá dentro ele ficou até a hora de fechar, e quando saiu estava tão ébrio que eu sabia que a caça estava em minhas mãos.

"Não imaginem que eu pretendia matá-lo a sangue frio. Nada mais justo do que fazer isso, mas eu não seria capaz. Havia muito tempo eu determinara que ele deveria ter uma oportunidade de se salvar, caso resolvesse aproveitá-la. Entre as muitas funções que desempenhei na América, fui zelador e faxineiro do laboratório da Faculdade de York. Um dia, o professor estava lecionando sobre venenos, e mostrou aos alunos um alcaloide, como ele o chamou, extraído de alguma flecha envenenada na América do Sul, tão poderoso que a mais ínfima dose significava morte instantânea. Vi bem o frasco que continha tal preparado, e quando todos se foram peguei um pouco dele para mim. Eu era muito bom farmacêutico, então manipulei esse alcaloide em pequenas pílulas solúveis, e cada pílula pus numa caixa, com outra pílula igual, preparada sem o veneno. Decidi, na época, que quando tivesse a minha chance, meus cavalheiros poderiam se servir dessas caixas, e eu tomaria a pílula restante. Seria tão mortal, e muito menos ruidoso, do que atirar com uma arma envolvida num lenço. Daquele dia em diante, levava sempre as caixas de pílulas comigo, e agora chegara o momento de usá-las.

"Era quase uma da madrugada, e a noite era tempestuosa e sombria, com vento forte e chuva torrencial. Apesar do tempo inclemente, eu estava feliz — tão feliz que poderia gritar de pura exultação. Se algum dos senhores já desejou ardentemente uma coisa, ansiando por ela durante vinte longos anos, e finalmente a viu ao seu alcance, vai entender meu sentimento. Acendi um charuto e baforei para acalmar meus nervos, mas minhas mãos tremiam, e minhas têmporas latejavam com a empolgação. Enquanto conduzia o táxi, podia ver o velho John Ferrier e a doce Lucy me olhando da escuridão e sorrindo para mim, tão claramente quanto enxergo os senhores nesta sala. Durante todo o trajeto, eles ficaram à minha frente, um de cada lado do cavalo, até que parei diante da casa na Brixton Road.

"Não se via vivalma, nem se ouvia som algum além do barulho da chuva. Quando olhei para dentro da cabine, encontrei Drebber encolhido num sono etílico. Eu o puxei pelo braço. 'Hora de descer', falei.

"'Está bem, taxista', disse ele.

"Imagino que ele pensou que havíamos chegado ao hotel que mencionara, uma vez que saiu sem mais uma palavra e me seguiu através do jardim. Precisei andar ao seu lado e segurá-lo, porque ele ainda estava um pouco sem equilíbrio. Quando chegamos à porta, eu a abri e o levei para a sala. Dou minha palavra: pai e filha estavam andando à nossa frente o caminho todo.

"'Está uma escuridão dos diabos', disse ele, trôpego.

"'Logo teremos luz', eu disse, riscando um fósforo e acendendo uma vela de cera que eu trouxera comigo. 'Agora, Enoch Drebber', continuei, me voltando para ele, e aproximando a chama do meu rosto, 'quem sou eu?'

"Ele me olhou com seus olhos enevoados e bêbados por um momento, e então notei um horror surgindo neles e distorcendo todo o seu semblante, o que me mostrou que ele me reconhecera. Drebber cambaleou para trás, com o rosto lívido, e vi o suor brotar em sua testa, enquanto ele batia os dentes. Ao ver isso, encostei-me na porta e dei uma longa e sonora risada. Eu sempre soubera que a vingança seria doce, mas nunca esperara sentir o contentamento que agora me possuía a alma.

"'Seu cão!', eu disse. 'Cacei você de Salt Lake City a São Petersburgo, e você sempre me escapou. Agora, finalmente, sua jornada chegou ao fim, porque ou eu ou você não veremos o sol nascer amanhã.' Ele se encolheu mais enquanto eu falava, e pude ver em seu rosto que ele me achava louco.

E eu estava mesmo, naquele momento. Minhas têmporas pareciam receber golpes de marreta, e acredito que eu teria sofrido algum tipo de colapso, se o sangue não tivesse esguichado do meu nariz e me aliviado.

"'O que acha de Lucy Ferrier agora?', gritei, trancando a porta e agitando a chave diante dele. 'A punição demorou para chegar, mas finalmente o alcançou.' Vi seus lábios covardes tremendo enquanto eu falava. Ele imploraria por sua vida, mas sabia muito bem que isso seria inútil.

"'Vai me assassinar?', ele balbuciou.

"'Não há assassinato algum', respondi. 'Quem fala de assassinar um cão raivoso? Que misericórdia você teve do meu pobre amor, quando a roubou de seu massacrado pai e a lançou em seu maldito e desavergonhado harém?'

"'Não fui eu que matei o pai de Lucy', ele exclamou.

"'Mas foi você que partiu aquele coração inocente', gritei, jogando a caixa diante dele. 'Que Deus julgue a nós dois. Escolha uma pílula e engula. Uma contém a morte, a outra, a vida. Eu tomarei a que você deixar. Vamos ver se existe justiça na terra, ou se somos governados pelo acaso.'

"Ele se encolheu, com gritos histéricos e pedidos de clemência, mas saquei meu punhal e o segurei em sua garganta até que ele me obedeceu. Então engoli a outra pílula, e ficamos um de frente para o outro, em silêncio, por um minuto ou mais, esperando para ver quem viveria e quem morreria. Esquecerei um dia a expressão que invadiu seu rosto quando as primeiras pontadas o avisaram de que o veneno estava em seu organismo? Ri ao ver isso, e segurei a aliança de Lucy diante de seus olhos. Foi só por um momento, porque a ação do alcaloide é rápida. Um esgar de dor contorceu o seu semblante; ele estendeu os braços à sua frente, cambaleou, e então, com um grito sufocado, desabou pesadamente no chão. Eu o virei com o pé e pus a mão sobre o seu coração. Estava imóvel. Estava morto!

"O sangue jorrava do meu nariz, mas eu nem notara. Não sei o que me fez escrever na parede com ele. Talvez fosse uma ideia maldosa de pôr a polícia numa pista falsa, pois eu me sentia aliviado e alegre. Lembrei que um alemão fora encontrado em Nova York com a palavra RACHE escrita acima dele, e que na época os jornais especularam que deveriam ter sido as sociedades secretas. Imaginei que aquilo que intrigara os nova-iorquinos também intrigaria os londrinos, por isso molhei o dedo no meu próprio sangue e escrevi a palavra num lugar conveniente. Em seguida, andei até meu táxi e vi que não havia ninguém por perto, e que a noite continuava muito tempestuosa. Eu já ia longe quando enfiei a mão no bolso onde costumava levar a aliança de Lucy e descobri que ela não estava lá. Fiquei abalado com isso, já que era a única lembrança que eu tinha dela. Imaginando que eu a deixara cair ao me debruçar sobre o cadáver de Drebber, voltei, e deixando meu táxi numa travessa, me aproximei corajosamente da casa — porque estava disposto a tudo para não perder o anel. Quando cheguei, praticamente caí nos braços de um policial que estava saindo, e só consegui dissipar suas suspeitas fingindo estar completamente bêbado.

"Foi assim que Enoch Drebber encontrou seu fim. Só me restava, então, fazer o mesmo com Stangerson, pagando, assim, a dívida com John Ferrier. Eu sabia que ele estava hospedado no Hotel Particular Halliday's, e fiquei por perto o dia todo, mas ele não saiu. Imaginei que Stangerson tivesse desconfiado de alguma coisa quando Drebber não apareceu. Ele era astuto e estava sempre em guarda. Mas, se achava que conseguiria me manter a distância ficando lá dentro, estava muito enganado. Logo descobri qual era a janela do seu quarto, e no dia seguinte, bem cedo, usei umas escadas encostadas no beco atrás do hotel, e entrei no quarto ao amanhecer. Eu o acordei e lhe disse que chegara a hora de responder pela vida que ele tirara tanto tempo atrás. Descrevi a morte de Drebber para ele, e lhe dei a mesma escolha das pílulas. Em vez de aproveitar a chance de salvação que lhe era oferecida, ele saltou da cama e voou no meu pescoço. Em legítima defesa, eu o apunhalei no coração. Teria dado na mesma, de qualquer maneira, já que a Providência jamais permitiria que sua mão culpada escolhesse outra coisa senão o veneno.

"Tenho pouco mais a dizer, e ainda bem, porque estou quase acabado. Continuei trabalhando como taxista por mais um ou dois dias, pretendendo continuar até conseguir poupar o suficiente para regressar à América. Estava no pátio da companhia quando um rapazinho esfarrapado perguntou se um taxista chamado Jefferson Hope trabalhava ali, e anunciou que seu táxi fora solicitado por um cavalheiro no número 221B da Baker Street. Fui para lá sem desconfiar de nada, e quando dei por mim este jovem havia me algemado, mais rapidamente do que jamais fui algemado na vida. Aí está toda a minha história, cavalheiros. Os senhores podem me considerar um assassino, mas eu me vejo como um oficial de justiça, igual aos outros aqui presentes."

Tão emocionante fora a narrativa do homem, e seus modos eram tão impressionantes, que todos ficamos em silêncio e absortos. Até os detetives profissionais, por mais *blasés* que fossem para todos os detalhes de crimes, pareciam vivamente interessados em sua história. Quando ele concluiu, ficamos alguns minutos num silêncio que só era interrompido pelo barulho do lápis de Lestrade, dando os retoques finais no depoimento estenografado.

— Só existe um ponto sobre o qual eu desejaria um pouco mais de informações — Sherlock Holmes disse finalmente. — Quem era o seu cúmplice, aquele que veio buscar a aliança que anunciei?

O preso piscou jocosamente para o meu amigo.

— Posso contar os meus segredos — disse —, mas não coloco outras pessoas em apuros. Vi seu anúncio e imaginei que podia ser tanto uma fraude quanto a aliança que eu procurava. Meu amigo se ofereceu para averiguar. Acho que o senhor há de reconhecer que ele fez isso com inteligência.

— Sem dúvida — disse Holmes com franqueza.

— Agora, cavalheiros — o inspetor disse gravemente —, a forma da lei deve ser obedecida. Na quinta-feira, o preso será levado para os magistrados, e a presença dos senhores será solicitada. Até lá, ficarei responsável por ele. — O homem tocou a sineta enquanto falava, e Jefferson Hope foi levado embora por dois guardiões, enquanto meu amigo e eu saíamos da chefatura e pegávamos um táxi de volta para a Baker Street.

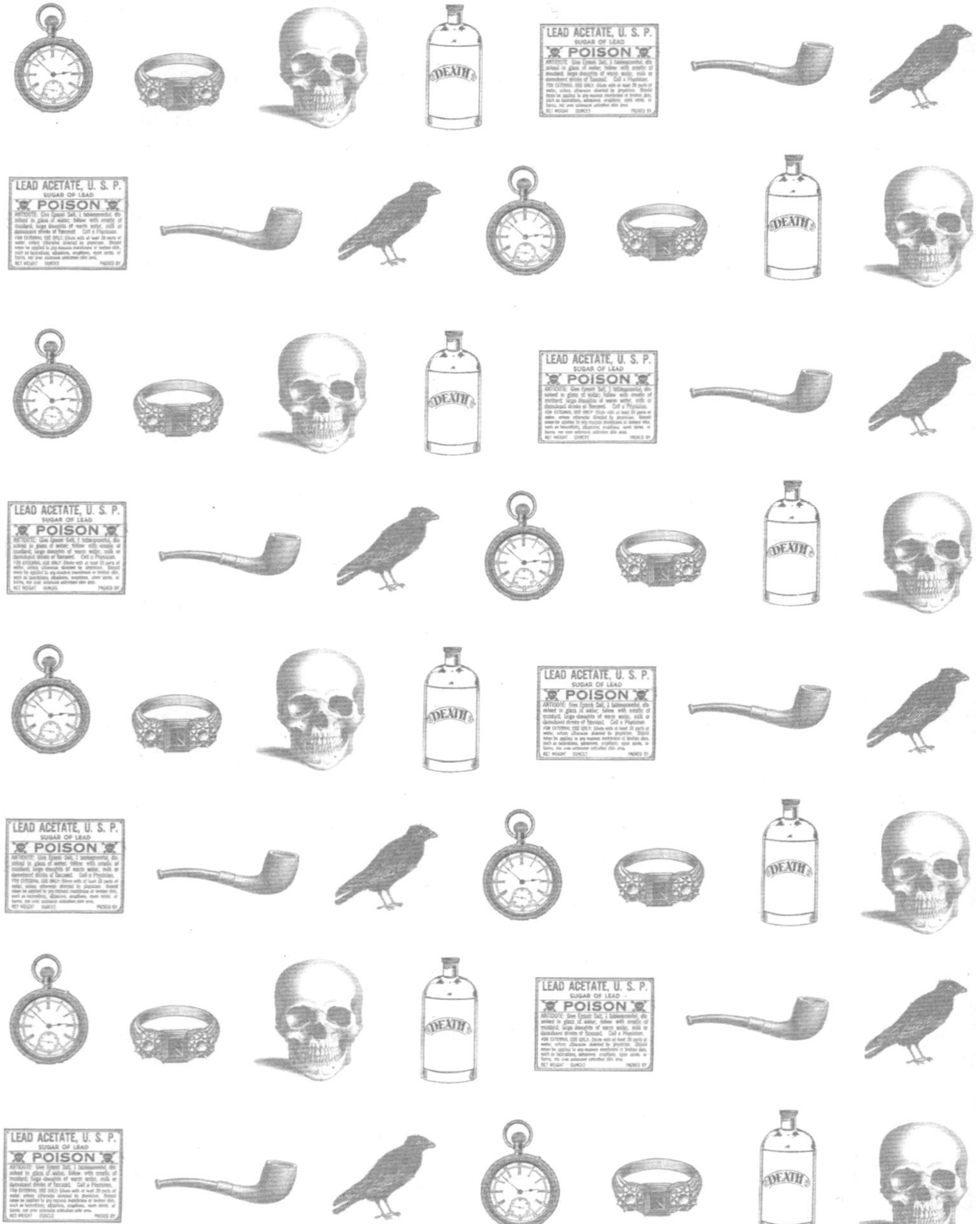
LEAD ACETATE, U. S. P.
SUGAR OF LEAD
POISON
DEATH

catorze
A CONCLUSÃO

Todos havíamos sido avisados de que deveríamos comparecer perante os magistrados na quinta-feira; mas, quando o dia chegou, não houve necessidade de nosso testemunho. Um juiz mais alto tomara o assunto em Suas mãos, e Jefferson Hope fora convocado a um tribunal onde a mais pura justiça lhe seria dispensada. Na noite após a sua captura, o aneurisma se rompeu, e ele foi encontrado pela manhã, estendido no chão da cela, com um sorriso plácido nos lábios, como se tivesse sido capaz, em seus últimos momentos, de revisitar uma vida útil e um trabalho bem-feito.

— Gregson e Lestrade vão ficar furiosos com sua morte — Holmes comentou, quando falávamos sobre o assunto na noite seguinte. — O que será feito de toda a sua publicidade, agora?

— Não acho que eles tenham desempenhado um papel tão importante em sua captura — respondi.

— O que alguém faz neste mundo não tem muita importância — redarguiu amargamente o meu colega. — A questão é o que alguém consegue fazer os outros acreditarem que ele tenha feito. Não importa — continuou, mais animado, após uma pausa. — Eu não perderia essa investigação por nada. Não me lembro de nenhum outro caso melhor. Embora simples, tinha vários pontos bastante instrutivos.

— Simples! — exclamei.

— Ora, realmente, não poderia ser descrito de outra forma — disse Sherlock Holmes, sorrindo com meu espanto. — A prova de sua simplicidade intrínseca é que, sem ajuda alguma além de umas deduções muito corriqueiras, fui capaz de pôr as mãos no criminoso em três dias.

— Isso é verdade — eu disse.

— Já expliquei a você que tudo que é fora do comum normalmente é uma pista, e não um empecilho. Ao resolver um problema desse tipo, a melhor coisa é ser capaz de raciocinar de trás para diante. É um exercício muito útil e fácil, mas as pessoas não o praticam muito. Nos assuntos do dia a dia, é mais útil raciocinar na ordem normal, por isso a outra forma é negligenciada. Para cada cinquenta pessoas capazes de raciocinar sinteticamente, existe uma capaz de raciocinar analiticamente.

— Confesso — eu disse — que não estou entendendo.

— Não imaginava mesmo que entendesse. Deixe-me

A CONCLUSÃO

ver se consigo tornar isso mais claro. A maioria das pessoas, quando você descreve uma sequência de acontecimentos, é capaz de dizer qual será o resultado. As pessoas conseguem juntar esses acontecimentos mentalmente e concluir, a partir deles, que uma determinada coisa vai acontecer. Existem poucas pessoas, no entanto, que ao saberem de um resultado, são capazes de tirar da própria mente quais as etapas que levaram a tal resultado. É a esse poder que me refiro quando falo de raciocinar de trás para a frente, ou analiticamente.

— Entendi — eu disse.

— Este foi um caso no qual ficamos sabendo do resultado e precisávamos descobrir todo o resto. Agora deixe-me tentar demonstrar as diferentes etapas do meu raciocínio. Para começar pelo princípio, me aproximei da casa, como você sabe, a pé, e com a mente totalmente livre de qualquer impressão. Naturalmente, comecei examinando a estrada, e ali, como já expliquei, vi claramente os rastros de um táxi, o qual, conforme verifiquei investigando, devia ter estado ali durante a noite. Convenci-me de que era um táxi, e não uma carruagem particular, observando a bitola estreita dos eixos. Os táxis londrinos comuns são consideravelmente mais estreitos do que as carruagens pessoais.

"Essa foi a primeira pista encontrada. Então andei lentamente pelo caminho do jardim, que por acaso era de um solo argiloso, peculiarmente adequado para registrar pegadas. Sem dúvida pareceu a você apenas uma faixa de lama pisoteada, mas para meus olhos experientes, cada marca em sua superfície tinha um significado. Não há ramo da ciência detetivesca mais importante e negligenciado do que a arte de seguir pegadas. Felizmente, eu sempre lhe dei grande importância, e a prática a tornou uma segunda natureza para mim. Vi as marcas pesadas dos policiais, mas também os rastros dos dois homens que passaram primeiro pelo jardim. Era fácil saber que eles estiveram ali antes dos outros, porque em certos lugares suas pegadas haviam sido completamente obliteradas pelas outras. Dessa maneira, meu segundo elo se formou, dizendo que os visitantes noturnos eram dois, um deles notável por sua altura (conforme calculei pelo comprimento dos passos) e o outro elegantemente vestido, a julgar pelas pequenas e elegantes marcas deixadas por suas botas.

"Ao entrar na casa, essa última dedução foi confirmada. Meu homem de botas finas jazia diante de mim. O mais alto, então, era o assassino, se aquilo fora um assassinato. Não havia nenhum ferimento no corpo do morto, mas a expressão agitada do seu rosto me garantia que ele previra seu fim antes que acontecesse. Homens que morrem de doença cardíaca, ou qualquer outra causa natural repentina assim, nunca exibem agitação no semblante. Ao cheirar os lábios do morto, detectei um odor levemente azedo, e cheguei à conclusão de que ele fora forçado a tomar veneno. Novamente, o que me levou a deduzir que ele fora forçado a tomá-lo foram o ódio e o medo estampados em seu rosto. Pelo método da

A CONCLUSÃO

exclusão, cheguei a esse resultado, uma vez que nenhuma outra hipótese condizia com os fatos. Não imagine que essa ideia seja tão sem precedentes. A administração forçada de veneno de forma alguma é novidade nos anais do crime. Os casos de Dolsky, em Odessa, e de Leturier, em Montpellier, serão imediatamente lembrados por qualquer toxicólogo.

"E agora vinha a grande questão do motivo. Roubo não fora o objetivo do assassinato, já que nada fora levado. Teria sido política, então, ou uma mulher? Essa era a questão diante de mim. Pendi desde o início para esta última suposição. Assassinos políticos se contentam em fazer o seu trabalho e fugir. Este assassinato, ao contrário, fora cometido com grande deliberação, e o culpado deixara rastros por toda a sala, mostrando que estivera ali o tempo todo. Deveria ser um acerto de contas particular, e não político, para requerer uma vingança tão metódica. Quando a escrita na parede foi descoberta, fiquei mais convencido do que nunca da minha opinião. Aquilo era, evidentemente demais, uma pista falsa. Quando a aliança foi encontrada, de qualquer forma, isso resolveu a questão. Claramente, o assassino a usara para fazer sua vítima se lembrar de alguma mulher morta ou ausente. Foi nesse instante que perguntei a Gregson se ele havia perguntado, em seu telegrama para Cleveland, algo em particular sobre a carreira pregressa do Sr. Drebber. Sua resposta, como você se lembra, foi negativa.

"Procedi, então, a um exame cuidadoso da sala, que

confirmou minha opinião a respeito da estatura do assassino, e me forneceu os detalhes adicionais do charuto Trichinopoly e do tamanho de suas unhas. Eu já havia chegado à conclusão, pela ausência de sinais de luta, de que o sangue espalhado pelo chão jorrara do nariz do assassino, com sua exaltação. Percebi que os rastros de sangue coincidiam com os rastros dos pés dele. Raramente algum homem, a menos que seja muito sanguíneo, tem uma tal hemorragia por causa da emoção, por isso arrisquei a opinião de que o criminoso era provavelmente um homem robusto e de rosto avermelhado. Os fatos provaram que meu juízo estava correto.

"Depois de sair da casa, tratei de fazer o que Gregson negligenciara. Telegrafei para o chefe da polícia de Cleveland, limitando minha indagação às circunstâncias associadas ao casamento de Enoch Drebber. A resposta foi conclusiva. Informaram-me de que Drebber já pedira proteção da lei contra um velho rival amoroso, chamado Jefferson Hope, e que esse mesmo Hope estava atualmente na Europa. Agora eu sabia que a chave do mistério estava em minhas mãos, e só faltava apreender o assassino.

"Eu já havia determinado mentalmente que o homem que entrara na casa com Drebber não era outro senão o condutor do táxi. As marcas na estrada mostravam que o cavalo vagara de uma maneira que teria sido impossível se alguém o estivesse controlando. Onde, então, poderia estar o condutor, a menos que estivesse dentro da casa? Mais uma vez, é

A CONCLUSÃO

absurdo supor que qualquer homem sensato cometeria deliberadamente um crime sob os olhos, no caso, de uma terceira pessoa, que certamente o trairia. Finalmente, supondo que um homem quisesse seguir outro para todo o lado em Londres, que melhor maneira ele poderia adotar do que se tornar um condutor de táxi? Todas essas considerações me levaram à irresistível conclusão de que Jefferson Hope poderia ser encontrado entre os cocheiros da metrópole.

"Se ele era um cocheiro, não havia motivo para crer que tivesse deixado de ser. Ao contrário, do seu ponto de vista, qualquer mudança repentina poderia atrair atenção para ele. Nosso homem iria, provavelmente, ao menos por algum tempo, continuar desempenhando suas tarefas. Não havia motivo para supor que ele usaria um nome falso. Por que deveria mudar seu nome, num país onde ninguém conhecia o verdadeiro? Portanto, organizei meu pelotão de garotos-detetives de rua e mandei que visitassem sistematicamente todas as companhias de táxi de Londres, até encontrarem o homem que eu queria. Quão bem-sucedidos eles foram, e quão rapidamente tirei vantagem disso, você ainda lembra muito bem. O assassinato de Stangerson foi um incidente totalmente inesperado, mas que dificilmente, em todo caso, poderia ter sido evitado. Com ele, como você sabe, foram encontradas as pílulas cuja existência eu já supusera. Você vê que a coisa toda é uma cadeia de sequências lógicas, sem interrupção ou falha."

— É maravilhoso! — exclamei. — Seus méritos deveriam ser reconhecidos publicamente. Você deveria publicar um relato do caso. Se não fizer isso, eu farei.

— Pode fazer o que quiser, doutor — ele respondeu. — Veja aqui! — continuou, me entregando um jornal. — Veja isto!

Era o *Echo* do dia, e o parágrafo que ele apontava era dedicado ao caso em questão.

> O público perdeu um espetáculo sensacional com a morte repentina de um certo Hope, suspeito do assassinato do Sr. Enoch Drebber e do Sr. Joseph Stangerson. Os detalhes do caso, agora, provavelmente jamais serão conhecidos, embora boas fontes tenham nos informado de que o crime foi resultado de uma antiga rixa romântica, na qual o amor e o mormonismo tiveram seus papéis. Parece que ambas as vítimas haviam pertencido, na juventude, aos Santos dos Últimos Dias, e Hope, o preso falecido, também veio de Salt Lake City. Se o caso não teve nenhum outro efeito, pelo menos destacou da maneira mais marcante a eficiência dos detetives da nossa força policial, e servirá de lição para todos os estrangeiros, que fariam melhor em acertar suas diferenças em suas pátrias, e não em solo britânico. Não é grande segredo que o crédito por esta astuta

captura pertence inteiramente aos famosos agentes da Scotland Yard, Srs. Lestrade e Gregson. O homem foi preso, ao que parece, nos aposentos de um certo Sr. Sherlock Holmes, que também, como amador, demonstrou algum talento para o trabalho de detetive, e que, com mestres assim, pode aspirar, com o tempo, a atingir uma fração da habilidade dos dois. Espera-se que algum tipo de homenagem seja apresentada a esses oficiais, como merecido reconhecimento por seus serviços.

— Eu não disse logo no início? — exclamou Holmes, rindo. — Esse é o resultado de todo o nosso Estudo em Vermelho: uma homenagem para eles!

— Não importa — respondi —; tenho todos os fatos no meu diário, e o público irá conhecê-los. Enquanto isso, você deve se contentar com a consciência do sucesso, como o mendigo romano:

Populus me sibilat, at mihi plaudo
Ipse domi simul ac nummos contemplar in arca.*

---

* "O povo me vaia, mas em casa eu me aplaudo/E contemplo as moedas no meu cofre." Em latim no original. (N. T.)

Este livro foi reimpresso em 2022 pela Editora Nacional, impressão pela Gráfica Exklusiva.